Cosas que crees saber

(pero no estás seguro)

Cosas que crees saber

(pero no estás seguro)

Joseph Rosenbloom
Ilustraciones de Joyce Behr

Título original: *Things You Thought You Knew (But don't count on it!)*
Publicado en inglés por Sterling Publishing Co., Inc.

Traducción de Joan Carles Guix

Parte del material de esta recopilación ha sido adaptado de:
Bananas Don't Grow on Trees: A Guide to Popular Misconceptions
Publicado por Sterling Publishing Co. Ilustraciones de Joyce Behr
© 1978 by Joseph Rosenbloom
Polar Bears Like It Hot: A Guide to Popular Misconceptions
Publicado por Sterling Publishing Co. Ilustraciones de Joyce Behr
© 1980 by Joseph Rosenbloom

Distribución exclusiva:
Ediciones Paidós Ibérica, S.A.
Mariano Cubí 92 - 08021 Barcelona - España
Editorial Paidós, S.A.I.C.F.
Defensa 599 - 1065 Buenos Aires - Argentina
Editorial Paidós Mexicana, S.A.
Rubén Darío 118, col. Moderna - 03510 México D.F. – México

Este libro fue publicado por mediación de Ute Körner Literary Agent, S.L., Barcelona

ISBN: 84-9754-145-6
Depósito legal: B-38.395-2004

Impreso en Hurope, S.L.
Lima, 3 bis – 08030 Barcelona

Impreso en España – *Printed in Spain*

Índice

Primera parte

GENTE

CUERPO Y MENTE

TODAS LAS PERSONAS TIENEN EL MISMO NÚMERO DE HUESOS

El cuerpo del adulto humano normal tiene 206 huesos, pero los niños tienen más que los adultos. En efecto, el cráneo infradesarrollado de un recién nacido presenta seis cavidades o «fontanelas», la mayor de las cuales se halla en el centro de la sección superior del cráneo. A los dos años, los huesos del cráneo han crecido lo suficiente como para cerrar estos «puntos blandos», con lo cual, el número de huesos se reduce. Asimismo, las cinco últimas vértebras en el extremo inferior de la columna vertebral del niño se unen paulatinamente para formar una estructura ósea única: el sacro.

Por otro lado, en algunas personas, el cóccix, situado debajo del sacro en el extremo de la columna vertebral, consta de cuatro huesecillos, y en otras de cinco.

UNA FRACTURA SIMPLE ES UN HUESO CON UNA SOLA ROTURA; UNA FRACTURA COMPUESTA CONSTA DE MÁS DE UNA ROTURA

«Simple» y «compuesta» son términos que no se refieren al número de roturas en un hueso fracturado. Una fractura simple es aquella en la cual la piel no ha sido perforada por el hueso astillado, mientras que, por su parte, una fractura compuesta es aquella en la que el hueso roto se ha desplazado tanto de su posición, que perfora la piel, poniendo el hueso en contacto con el aire y provocando una infección en la herida.

QUIENES SON CAPACES DE REALIZAR EJERCICIOS FÍSICOS DE EXTREMADA DESTREZA TIENEN ARTICULACIONES DOBLES

Los acróbatas y otras personas cuyas articulaciones parecer ser de goma tienen el mismo número de articulaciones que tú y que yo. La diferencia está en que sus ligamentos son más flexibles que los de los demás.

EL HUESO DE LA MÚSICA ES UN HUESO SENSIBLE

El llamado hueso de la música no tiene nada que ver con un hueso, sino que en realidad es el nervio ulnar, que discurre debajo de la piel en el interior del codo, formando una especie de cresta. Al presionar el nervio ulnar, se desplaza hacia un hueso próximo, causando un *shock* o sensación de hormigueo en el antebrazo y la mano.

EL CORAZÓN ESTÁ SITUADO EN EL LADO IZQUIERDO DEL CUERPO

Dado que la aorta, la arteria mayor que canaliza la sangre fuera del corazón, se halla en el lado izquierdo del cuerpo, es más fácil oír los latidos del corazón en este lado, justo a la izquierda del esternón. Pero ésta no es la posición exacta del corazón, una pequeña parte del cual está situado a la izquierda del esternón y otra a la derecha del mismo. El corazón propiamente dicho se halla exactamente en medio del tórax, ligeramente inclinado.

LA PUPILA DEL OJO ES UN PUNTO NEGRO

La pupila del ojo sólo da la sensación de ser negra. A decir verdad, es un orificio transparente en el centro del iris. La pupila parece de color negro porque la retina, situada detrás de la misma, es de color oscuro, y porque la iluminación en el interior del ojo es escasa comparada con la luz exterior.

EL FRÍO Y LA HUMEDAD SON LAS CAUSAS DEL RESFRIADO

La exposición a bajas temperaturas no guarda ninguna relación con el resfriado común, que en realidad está causado por virus. Si no

hay virus, no hay resfriados. Los exploradores árticos han asegurado no haberse resfriado ni siquiera con el frío más intenso. Por lo demás, los esquimales desconocían el resfriado hasta que el virus fue introducido por extranjeros.

Sin embargo, muchos virus fríos se desarrollan mejor en temperaturas bajas, y ésta es la razón por la que la gente suele resfriarse más a menudo en invierno que en verano. Asimismo, a la igual que la fatiga, la exposición prolongada al frío y la humedad pueden reducir la resistencia de la persona a los virus fríos presentes en el aire.

EL CÁNCER ES UNA ENFERMEDAD ESPECÍFICA

El cáncer no es una sola enfermedad aunque la gente hable de él como si lo fuera. A decir verdad, es un grupo de enfermedades. Hasta la fecha se han identificado más de cien cánceres diferentes, que afectan a cualquier parte del organismo y tienen distintas manifestaciones. Lo que todas las formas de cáncer tienen en común es el crecimiento incontrolado y desordenado de células anómalas.

El cáncer tampoco tiene una cura única. Aunque se desconoce su mecanismo operativo exacto, se han identificado centenares de factores separados, individualizados o combinados como posibles causas del cáncer. Los científicos sospechan que ciertos tipos de cáncer están relacionados con determinadas sustancias químicas, la radiación, los factores genéticos y un daño reiterado en los tejidos, así como con diversos virus.

EL DOLOR EN EL LADO DERECHO ES UN SIGNO DE APENDICITIS

El apéndice es una pequeña estructura semejante a una lombriz de alrededor de 7,6 cm de longitud, unida a la primera sección del intestino grueso y que normalmente está situada en el lado derecho del cuerpo. Cuando el apéndice se inflama a causa de una infección, se produce la apendicitis. El apéndice infectado se puede extirpar quirúrgicamente. La intervención es relativamente simple y rutinaria. Pero si no se trata con rapidez, la apendicitis puede ser fatal.

Existe una creencia muy extendida que asocia la apendicitis a un dolor o blandura al tacto en el lado derecho del cuerpo, entre el ombligo y la cadera derecha. Si bien es cierto que, con frecuencia, el dolor se concentra en este lado, en muchos casos se detecta en otras partes del cuerpo, ya sea el lado izquierdo, la región lumbar o el área pélvica. Asimismo, hay veces en que la blandura al tacto en el abdomen es imperceptible. En realidad, en la mitad de los casos de apendicitis, los síntomas de dolor o blandura no se presentan en el lado derecho, sino en otras partes del cuerpo.

Si sientes un dolor persistente en el abdomen, consulta a tu médico. No es sensato dar por sentado que no puedes tener apendicitis por el mero hecho de que el dolor no se concentra en el lado derecho.

LA SANGRE DE LA MADRE FLUYE A TRAVÉS DEL FETO

No es cierto, como muchos suponen, que la sangre de la madre gestante fluya por las venas del bebé.

Madre e hijo están unidos por el cordón umbilical, el cual, a su vez, está conectado con la placenta materna, una masa esponjosa rica en vasos sanguíneos procedentes tanto de la madre como de su hijo. No obstante, los dos conjuntos de vasos sanguíneos no están directamente conectados entre sí en forma alguna, sino que están separados por finas membranas, a través de las cuales pasan los nutrientes, el oxígeno y los productos residuales por efecto de la ósmosis.

Habitualmente, no existe ninguna mezcla de la sangre de la madre con la del feto. Los dos sistemas sanguíneos son completamente independientes.

EL HOMBRE TIENE CINCO SENTIDOS

La idea de que estamos limitados a cinco sentidos tal vez se deba al hecho de que tenemos cinco órganos sensitivos evidentes: ojos, oídos, piel, boca y nariz. Sin embargo, además de estos cinco sentidos comúnmente aceptados, en la actualidad los científicos hablan de otros cuatro:

1) El sentido del equilibrio, situado en medio del oído.
2) El sentido quinestético, que nos mantiene informados de lo que está sucediendo en los músculos, tendones y articulaciones.
3) El sentido del frío y el calor.
4) El sentido visceral, que transmite información acerca de los eventos orgánicos internos.

Aunque la clasificación de los sentidos difiere considerablemente de una escuela a otra, todos los científicos coinciden en afirmar la existencia de más de cinco. Si la percepción extrasensorial u otros sentidos sobrenaturales están o no incluidos en alguna lista de sentidos es una cuestión que sigue siendo objeto de un acalorado debate.

EL SUDOR HUELE

La mayoría de nosotros nos duchamos con frecuencia y utilizamos desodorantes para evitar el desagradable olor de la transpiración, que según la creencia general, es la responsable del hedor.

En realidad, el sudor apenas huele. Cuando entra en contacto con las bacterias en la piel empieza a descomponerse y a emitir el característico olor a «sudado» que nos parece tan ofensivo. Así pues, no es la transpiración propiamente dicha la causante del mal olor, sino la acción bacteriana.

Por cierto, la piel de los simios y los monos se mantiene seca incluso en las condiciones climatológicas más sofocantes. La sudoración parece ser una exclusiva del ser humano. En efecto, la capacidad de mantener una temperatura estable mediante la transpiración da la sensación de ser un avance evolutivo del hombre sobre el simio.

EL APRENDIZAJE SE PUEDE REALIZAR DURANTE EL SUEÑO

La creencia según la cual se puede aprender durante el sueño se basa en que la mente subconsciente es capaz de absorber nueva información, hasta el punto de que si se reproduce repetidamente una cinta de audio que contiene una determinada masa de datos a una persona, ésta los habrá memorizado al despertar. El aprendizaje durante el sueño sería ideal para quienes están demasiado ocupados de día o a quienes tienen dificultades de memorización, una forma ex-

traordinaria de dominar el subconsciente y aprovechar un período de tiempo que, de lo contrario, se pierde en el sueño. O por lo menos así lo manifiestan.

Por desgracia, las investigaciones han demostrado que el «aprendizaje dormido» sólo se produce cuando el material informativo se presenta durante la vigilia, o lo que es lo mismo, sin consciencia, no hay aprendizaje.

Se podría afirmar que el aprendizaje durante el sueño está propiciado por el hecho de que la persona que está acostada en la cama está relajada y, en consecuencia, su mente está más abierta al nuevo material. Sin embargo, ésta es otra cuestión. Estaríamos hablando del aprendizaje relajado, no durante el sueño. El verdadero aprendizaje, en definitiva, no tiene lugar durante un estado de sueño.

EN UNA COLISIÓN FRONTAL, LA CABEZA SE PROYECTA HACIA ATRÁS

Existe una creencia muy extendida según la cual la cabeza de una persona se proyectará hacia atrás en un choque frontal, como en el caso de un accidente de tráfico. El retroceso de la cabeza se denomina «latigazo». Sin embargo, cualquiera que intente conseguir una indemnización del seguro alegando que su cabeza sufrió un súbito latigazo hacia atrás en una colisión frontal, tendrá serios problemas para percibir un solo céntimo.

El motivo reside en una ley fundamental de la física. Todo cuerpo en movimiento continuará desplazándose en la misma dirección a menos que encuentre una fuerza opuesta. Así pues, el cuerpo humano en un vehículo que se desplaza hacia delante, seguirá moviéndose en la misma dirección si se detiene bruscamente. A menos que esté sujeto por un cinturón de seguridad, la cabeza del conductor corre el riesgo más que probable de impactar contra el volante o proyectarse en el parabrisas. Quienes viajan en los asientos traseros también pueden sufrir daños al ser impulsados súbitamente hacia delante. El peligro de daños en un vehículo que avanza no deriva de un repentino impulso hacia atrás, sino hacia delante.

Sólo si el vehículo en cuestión recibe un impacto por detrás o el automóvil colisiona con cualquier objeto en marcha atrás, existe la posibilidad de que el cuello sufra un latigazo en esa dirección.

QUIENES CARECEN DE LA SUFICIENTE FUERZA DE VOLUNTAD SON MÁS FÁCILES DE HIPNOTIZAR

Dado que, según se suele creer, la hipnosis reside en el poder de sugestión de una persona sobre otra, se tiende a concluir que las personas débiles o de escasa fuerza de voluntad son más propensas a ser hipnotizadas, cuando en realidad no es así. Los débiles y sumisos tienen la misma probabilidad de caer en el trance hipnótico que los fuertes e inteligentes.

Los científicos dicen que sólo una de tres o cuatro personas es capaz de ser hipnotizada. La capacidad para serlo no guarda relación alguna con el sexo, inteligencia, tipo de personalidad, edad o cualquier otro factor estudiado hasta la fecha.

UNA PERSONA PUEDE SER HIPNOTIZADA EN CONTRA DE SU VOLUNTAD

La idea de la hipnosis preocupa a mucha gente, que tiene la impresión de que una persona hipnotizada está completamente sujeta a la voluntad del hipnotizador, hasta el punto de que, según la creencia general, sus sugerencias se cumplen incondicionalmente y sin reservas. La posibilidad de que una persona pueda dominar a otra es sin duda aterradora.

No obstante, para ser hipnotizado, el sujeto tiene que estar relajado y predispuesto a la hipnosis. Es imposible hipnotizarlo sin su cooperación activa. Nadie puede ser hipnotizado en contra de su voluntad o sin ser consciente de ello.

LOS IMPULSOS NERVIOSOS VIAJAN A LA VELOCIDAD DE LA LUZ

Según la creencia popular, los impulsos nerviosos son de naturaleza eléctrica. Las células nerviosas pueden ser comparadas a los cables que conducen cargas eléctricas. Teniendo en cuenta que la electricidad fluye a una velocidad aproximada a la de la luz (299.792 km/seg), también se cree que los impulsos nerviosos viajan a velocidades similares. Pero las investigaciones han desmentido esta apreciación.

En efecto, la velocidad de tales impulsos ni tan siquiera se aproxima a la de la luz, ya que su naturaleza no es meramente eléctrica, sino también química. Es más, la célula nerviosa no es una estructura simple comparable a un cable eléctrico, sino una estructura compleja que reacciona a los impulsos que transporta en una amplia diversidad de formas físicas y químicas que los científicos aún no han conseguido comprender en su totalidad.

La velocidad real de desplazamiento de los impulsos nerviosos a través de un nervio depende del diámetro de la fibra nerviosa. Cuanto mayor es, mayor es la velocidad del impulso. Investigaciones realizadas en 1943 determinaron que los mensajes más rápidos transmitidos por el sistema nervioso alcanzaban los 366 km/h, es decir, una cifra considerablemente inferior a la del sonido y, por supuesto, a la de la luz. No es pues de extrañar que a medida que la persona va creciendo, la velocidad de sus impulsos nerviosos se reduzca.

ES IMPOSIBLE QUEMARSE CUANDO ESTÁ NUBLADO

Mucha gente cree que están perfectamente a salvo de las quemaduras solares en los días nublados, cuando a decir verdad no es así.

Las quemaduras están provocadas por los rayos ultravioletas del sol. En realidad, entre el 60 y el 80 % de la cantidad de rayos ultravioleta presentes en un día despejado y soleado puede penetrar en la piel en un día nublado. Quien más quien menos no suele ser consciente de ello, por lo que se arriesga a sufrir graves laceraciones cutáneas bajo una excesiva exposición, un peligro que aumenta en la proximidad del agua o de arena blanca en la que se refleja la luz solar. Asimismo, las quemaduras solares también pueden estar causadas por el reflejo de los rayos ultravioleta en el hielo y la nieve.

LA ESPERANZA DE VIDA DEL HOMBRE ES INFERIOR AL DE LA MUJER A CAUSA DEL RITMO FRENÉTICO DE LA VIDA MODERNA

Aunque se suele decir que las mujeres son el sexo débil, su esperanza de vida supera en seis o más años a la de los hombres, y una de las razones que se suelen argüir para explicar esta diferencia reside en que el estrés de la industrialización recae más pesadamente en el

hombre que en la mujer. Pero lo cierto es que en todas las sociedades del mundo, industrializadas o primitivas, las mujeres viven más años que los hombres. Así pues, según parece, no se trata de una cuestión de estilo o ritmo de vida, sino de genes.

LOS GIGANTES SON FUERTES

Los relatos de gigantes son muy comunes en las leyendas de casi todas las civilizaciones, con una descripción invariablemente funesta: son perversos, bárbaros y poderosos. Sin embargo, en la vida real, los gigantes son cualquier cosa menos fuertes.

La mera estatura no se debe confundir con el gigantismo. Una persona alta lo es por razones normales y no a causa de un problema hormonal. El verdadero gigantismo es el resultado de trastornos glandulares, casi siempre de la glándula pituitaria. Los gigantes son propensos a una amplia variedad de enfermedades y patologías, y muchos de ellos son incapaces de llevar una vida normal.

Así pues, a diferencia de los gigantes y ogros de las leyendas, los de la vida real suelen ser, en general, débiles y enfermizos, y su esperanza de vida es corta.

LAS HUELLAS DACTILARES QUEDAN IMPRESAS EN LAS ARMAS

En los relatos de detectives, a menudo la policía identifica al criminal tras haber encontrado sus huellas dactilares en un arma. En realidad, la policía casi nunca las encuentra. Tres razones lo justifican:

1) Al disparar un arma de fuego, la fuerza del retroceso la desplaza en la mano de quien ha disparado y las huellas digitales se corren.
2) La mayoría de las armas de fuego se engrasan con frecuencia, y una superficie aceitosa no proporciona una clara impresión de las huellas dactilares.
3) Quien dispara un arma suele sujetarla tan firmemente que los detalles de las huellas dactilares se emborronan.

ALGUNAS PERSONAS NO SUEÑAN

Los científicos han determinado que cuando una persona sueña, sus ojos muestran pequeños y rápidos movimientos oculares. Un movimiento rápido del ojo, que se suele abreviar con las siglas anglosajonas REM, es una señal física de que el sueño se está desarrollando. Utilizando sofisticados dispositivos de medida y despertando al individuo durante los períodos de sueño REM, se ha podido constatar que todas las personas sueñan cada noche. Incluso quien insiste en que nunca sueña, lo hace. Lo que ocurre es simplemente que sus sueños se borran.

Al parecer, soñar es una necesidad real del ser humano. Los sujetos a los que se priva de períodos normales de sueño despertándolos cada vez que empiezan a mostrar signos REM, presentan síntomas de estrés y se comportan de un modo anómalo, y cuando posteriormente se les permite disfrutar de períodos REM sin interrupción, experimentan más sueño REM de lo normal. Es como si necesitaran recuperarse de la privación a la que han estado sometidos.

El sueño REM se ha observado en muchos animales, como en el caso de monos, perros, gatos, ratas, elefantes, musarañas y opposums. Asimismo, se ha detectado en algunas aves y reptiles.

LOS SUEÑOS SON DE CORTA DURACIÓN

La mayoría de la gente tiene la impresión de que al igual que los objetos aparecen distorsionados en los sueños, también lo es la noción del tiempo. Se cree que los sueños que parecen prolongarse durante horas, en realidad duran apenas unos segundos. Pero los científicos han demostrado que no es así.

Cuando una persona sueña, presenta ráfagas de movimientos rápidos oculares, indicaciones objetivas de que realmente está soñando. La primera ráfaga de movimiento rápido ocular, o REM para abreviar, suele iniciarse tras haber conciliado el sueño, y dura entre cinco y diez minutos. Los sucesivos períodos REM se producen cada 90 minutos y son cada vez más prolongados. A menudo, el último dura alrededor de 30 minutos. El período REM más largo jamás registrado duró dos horas y veintitrés minutos.

Lejos de tener una corta duración, los sueños se prolongan durante sustanciales períodos de tiempo.

LOS SONÁMBULOS INTERPRETAN SUS SUEÑOS

El sonambulismo suele estar considerado como una extensión del sueño. Algunas personas, según se cree, se levantan de la cama y representan lo que están soñando si su sueño es lo bastante intenso. En consecuencia, el sonambulismo es un sueño activo. Los científicos lo han desmentido.

En efecto, los estudiosos del sueño han llegado a la conclusión de que los ojos del individuo que sueña experimentan una ligera agitación. Como ya hemos visto, esta agitación es lo que se conoce como movimiento rápido ocular, o REM. La ausencia de REM se denomina NREM, o no-movimiento rápido ocular. En otras palabras, cuando el REM está presente, se está soñando, y cuando no está presente, no se está soñando. Se ha podido constatar que el sonambulismo se produce única y exclusivamente durante el sueño NREM. No es un estado de sueño ni tampoco, en modo alguno, una extensión de los sueños.

Las personas que se despiertan durante un sueño saben que han estado soñando y son capaces de recordar muchos detalles de sus sueños. En el caso de un sonámbulo, la situación es opuesta. Si se le despierta, no es consciente de que ha estado andando y no recuerda nada de lo acontecido durante su tránsito.

LOS HOMBRES RONCAN MÁS QUE LAS MUJERES

Roncar durante el sueño suele estar asociado a los hombres, lo cual es injusto, pues en realidad no tiene nada que ver con el sexo. Entre los roncadores famosos se incluyen George Washington, John y Samuel Adams, Theodore Roosevelt y Winston Churchill. De haber mujeres roncadoras famosas, deben de haberlo mantenido en secreto.

Una de cada cinco personas tiene problemas relacionados con la ronquera nocturna. Roncar puede afectar a individuos de cualquier edad, aunque suele ser más común entre las personas de edad avanzada. Aunque se muestren mucho más reacias a admitir el problema, las mujeres roncan tanto como los hombres.

Los animales también roncan, y así se ha podido observar en elefantes, vacas, ovejas, gatos, perros, camellos, chimpancés, cebras, búfalos y gorilas.

LAS PERSONAS QUE SUFREN DESMAYOS CAEN DE ESPALDAS

En las películas de animación o en las series televisivas, la persona que se desmaya aparece precipitándose al suelo o en los brazos de quien está a su lado invariablemente de espaldas. Tal vez sea más dramático representarlo así, aunque no es correcto.

El cuerpo está articulado de tal forma que está más inclinado a caer hacia delante que hacia atrás cuando los músculos se relajan, como en el caso de un desmayo. Haz una prueba. Relaja el cuerpo y observarás que tiendes a caer hacia delante, no hacia atrás.

VESTIMENTA E HIGIENE PERSONAL

LOS ROMANOS NUNCA LLEVABAN PANTALONES

En la imaginación popular, los romanos sólo vestían con túnicas, pero eso no es del todo cierto. También llevaban pantalones, llamados *braccae*.

Los «bárbaros», que vivían en climas severos, solían llevar pantalones. En consecuencia, los romanos también empezaron a adoptar el uso de los mismos como una forma práctica de vestir durante la ocupación de tierras «bárbaras». Aunque al principio fueron desdeñados como atuendo apropiado en Roma, con el tiempo la moda de llevar pantalones se hizo muy común, y ya en el siglo V d.C. se consideraban una prenda de vestir aceptable en la mismísima capital del Imperio.

LA FALDA MASCULINA LA INVENTARON LOS ESCOCESES

La falda escocesa (*kilt*) no es ni mucho menos la primera en la historia del atuendo masculino.

La prenda de vestir masculina fundamental en el antiguo Egipto era una falda de lino blanco a la que los eruditos llaman *schenti*. Era una pieza de tela rectangular envuelta alrededor de la cintura y atada delante. El *schenti* egipcio se siguió usando durante toda la historia del antiguo Egipto, y comparada con ella, el *kilt* escocés es un pariente recién llegado que sólo se remonta a principios del siglo XVII.

La falda que usan los hombres en los Balcanes también es más antigua que la escocesa, aunque la fecha de sus orígenes no se ha podido establecer con exactitud. La más famosa de las faldas balcánicas es la que llevaban los griegos. En las festividades y otras ocasiones especiales, los hombres griegos vestían una falda blanca plisada, llamada *fustanella*. Aun hoy, los evzones, es decir, la guardia real griega, continúan llevándola como parte de su uniforme.

Así pues, la falda masculina no es exclusivamente escocesa ni fue inventada por los escoceses.

CORTAR O RASURAR EL PELO CONTRIBUYE A SU CRECIMIENTO

Cortar o rasurar el pelo no mejora ni empeora el crecimiento del pelo, así como tampoco el masaje del cuero cabelludo con tónicos de cualquier tipo soluciona la calvicie. En ocasiones, la alopecia hereditaria se puede retrasar, pero nunca detener, lavando y cepillando bien el pelo.

A menos que la calvicie esté causada por una enfermedad, es irreversible y definitiva. Tiene una característica heredada que se transmite por un gen de influencia sexual. Si este gen está presente, la alopecia se desarrollará allí donde exista un nivel suficiente de testosterona, una hormona masculina que estimula el crecimiento del vello corporal pero que lo reduce en el cuero cabelludo.

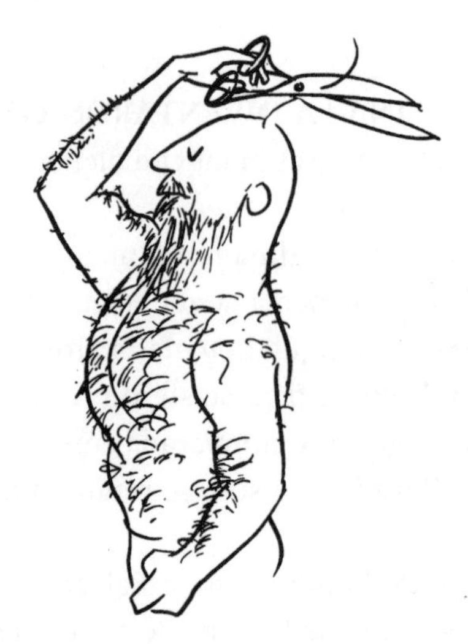

En consecuencia, los hombres con un poderoso crecimiento de vello corporal tienden a perder el pelo en la cabeza a una edad más temprana que los que tienen escasas vellosidades. Aunque las mujeres también tienen el gen de la calvicie hereditaria, no la sufren, pero sí la transmiten a sus descendientes.

EL LAVADO FRECUENTE DEL PELO PROVOCA CALVICIE

Lavarse el pelo a menudo no es perjudicial para el pelo y, a diferencia de lo que algunos creen, no es causa de calvicie. Lavar el pelo dos o tres veces por semana, o incluso a diario, no influye en lo más mínimo en su estado de conservación. En realidad, y siempre que se enjuague a conciencia el champú, el lavado frecuente incluso puede mejorar la salud del pelo, contribuyendo a la eliminación de la caspa. Sea como fuere, por la misma razón que el lavado frecuente no provoca calvicie, tampoco la evita.

Como ya hemos visto, la alopecia, excepto en los casos de origen patológico, es una condición hereditaria que no se puede prevenir ni reinvertir.

EN LA EDAD MEDIA LA GENTE NO SE BAÑABA

Aunque la expresión «limpieza es salud divina» está plenamente extendida hoy en día, no siempre fue así. A principios de la Edad Media, entre los siglos X y XIII, muchas autoridades eclesiásticas enseñaban que bañarse era una forma recomendable de penitencia por los pecados cometidos, mientras que la suciedad se convertía en una senda hacia la virtud.

No fue hasta mediados del medievo cuando las actitudes asociadas con el baño empezaron a racionalizarse. Los reyes y nobles se bañaban a intervalos razonables, al tiempo que para el pueblo llano las oportunidades de higiene personal se incrementaban poco a poco con la construcción de baños públicos, muy comunes en toda Europa a finales del siglo XV.

El momento en el que la higiene europea alcanzó sus mínimos no fue precisamente la Edad Media, sino más tarde. Desde el siglo XVI hasta principios del siglo XIX, los europeos figuraban entre los pueblos más antihigiénicos del planeta. Durante un período de más de doscientos años, incluso los ricos y poderosos eran mugrientos, enmascarando la suciedad y el mal olor con cosméticos y perfumes. Tampoco la profesión médica fomentaba el baño, que estaba considerado como algo innecesario y perjudicial. Asimismo, los baños públicos para el pueblo eran francamente escasos. Los médicos estaban convencidos de que el baño público era una forma excelente de propagación de enfermedades. No fue sino hasta mediados del siglo XIX cuando el baño, público y privado, volvió a ponerse paulatinamente de moda.

LOS TURBANTES SON TÍPICOS DE INDIA

Aunque todavía en la actualidad en India se lleva el turbante, desde luego no puede considerarse como típicamente indio. El turbante es una prenda habitual en innumerables países de Oriente Medio, así como también en África a medida que aumenta el número de africanos que aceptan el Islam como culto religioso; no en vano, el turbante se lleva como un símbolo musulmán.

Además de proteger la cabeza de los rigores de la climatología, el turbante tiene otros usos. Originariamente se utilizaba para llevar ar-

mas blancas. Bastaba con echar mano al turbante y blandir un cuchillo o una daga en el combate. El turbante también protegía de los golpes a quien lo llevaba, se podía desenrollar y utilizar a modo de faja o cinturón, y se usaba como almohada por la noche.

LOS ZUECOS SON TÍPICAMENTE HOLANDESES

Los zuecos (calzado de madera) de Holanda son muy famosos; se llaman *klompen*, pero ¿es exacto decir que son holandeses?

Durante la Edad Media, a partir del siglo II, los campesinos de Europa septentrional calzaban unos zapatos de madera llamados *sabots*, idénticos a los actuales zuecos holandeses. Lo cierto es que, si bien los holandeses lucían sus clásicos *sabots*, también lo hacían los campesinos franceses y belgas. Así pues, históricamente, aunque el calzado de madera es muy común en Holanda, no es exclusivo de este país, sino de las regiones septentrionales del continente europeo.

Es curioso destacar que el término «sabotaje» deriva de *sabot*. Cuando un campesino quería vengarse de su terrateniente, pisaba la cosecha con sus *sabots*. Actualmente, sabotaje significa destruir a propósito.

LA BOINA ES TÍPICAMENTE FRANCESA

Al francés se le suele representar con una boina. Ni que decir tiene que algunos franceses llevan boina, pero también la llevan algunos italianos del norte, algunos españoles, algunos yugoslavos, algunos irlandeses, etc. En realidad, la boina es una prenda de vestir muy extendida en toda Europa, y si hubiera que definirla como típica de algún pueblo, sería del vasco.

Los vascos viven en un área geográfica situada al oeste de los Pirineos y que abarca territorios tanto de España como de Francia. Son un pueblo cuyo origen permanece en el misterio. Incluso su lengua, el euskera, es diferente de cualquier otro idioma europeo.

La boina, que en Euskadi se llama «chapela», es el sombrero nacional de los vascos. Ningún vasco que se precie se dejaría ver en público sin su chapela, y raramente se la quitará, ni siquiera a modo de saludo.

LOS SOMBREROS DE PANAMÁ SON ORIGINARIOS DE PANAMÁ

El sombrero de paja, conocido como sombrero de Panamá, no es originario de este país, sino de Ecuador.

COMIDA Y BEBIDA

LAS COMIDAS CALIENTES SON MÁS NUTRITIVAS

Se puede preferir la comida caliente a la comida fría, pero en términos nutricionales no existe ninguna diferencia entre ambas, con la única salvedad de que el calor reduce el valor nutricional de los alimentos destruyendo las vitaminas.

Es posible que una comida caliente sepa mejor o te pueda calentar un poco en un día frío, pero esto no tiene nada que ver con el valor nutricional.

EL ALIMENTO SE DIGIERE EN EL ESTÓMAGO

Contrariamente a lo que se suele creer, el estómago no es el principal órgano digestivo. Su finalidad consiste en almacenar alimento y reducirlo a una masa pastosa mezclándolo con el jugo gástrico. Desde el estómago, el líquido pastoso, llamado quimo, pasa al intestino delgado, que es donde el alimento se descompone para poder así ser absorbido en la corriente sanguínea para su uso orgánico.

Sólo una pequeñísima fracción del proceso digestivo se realiza en el estómago, en su mayor parte, tiene lugar en el intestino delgado.

ES PELIGROSO BEBER AGUA DE MAR

Es muy desagradable beber agua de mar. Es salada y amarga. También se cree que es altamente tóxica, hasta el punto de considerar que cualquiera que beba la suficiente cantidad de agua marina se arriesga a una muerte casi segura. No es pues de extrañar que los marinos se nieguen a beberla aun en el caso de estar a punto de morir de sed.

Sin embargo, se habría podido salvar muchas vidas de haber sabido que el agua de mar no es peligrosa ni tóxica si se ingiere con moderación. A pesar de tener un sabor de mil diablos, te puede salvar de la muerte por deshidratación, manteniendo las constantes vitales hasta que lleguen los equipos de rescate. Como es lógico, el agua de mar no está recomendada como una fuente normal o regular de hidratación. Estamos hablando aquí de una ingesta como medida de emergencia destinada a asegurar la supervivencia hasta poder disponer de nuevo de agua potable.

La noción de que el agua marina es tóxica es una desdichada leyenda que por desgracia ha costado muchas vidas.

LA CREMA DE LECHE TIENE UN ELEVADO CONTENIDO EN GRASA

A pesar de su nombre, en realidad es todo lo contrario. La crema de leche es leche de la que se ha extraído todo su contenido graso.

LA CREMA DE LECHE ENTERA PESA MÁS QUE LA LIGERA

Dado que la crema de leche entera contiene más grasa, y que la grasa pesa menos que una cantidad equivalente de líquido, en realidad, la crema de leche entera pesa menos que la ligera. De ahí que la crema sobrenade en la superficie de la leche fresca no homogeneizada. El origen de la confusión reside en que el término «entera» se refiere al espesor de la crema de leche y no a su peso.

INGERIR SEMILLAS PUEDE PROVOCAR APENDICITIS

Existe la creencia general de que la ingesta de semillas, de uva por ejemplo, puede provocar apendicitis, pues algunas de ellas se podrían alojar en el apéndice y desencadenar esta patología. ¿Es verdad?

Los cirujanos aseguran que los casos de cuerpos extraños encontrados en el apéndice son extremadamente raros. En el supuesto de que, por casualidad, alguna semilla recalara en el apéndice, no sería por sí misma causa de apendicitis, cuyo origen no se halla en la presencia de un cuerpo extraño, sino en una infección producida por bacterias que se encuentran exclusivamente en el intestino grueso.

LOS LIMONES SE RECOGEN AMARILLOS

A menudo, las naranjas se recogen verdes y posteriormente se les añade colorantes artificiales, mientras que los limones, según se cree, se recogen ya de color amarillo, sin necesidad de coloración artificial. En realidad, prácticamente todos los limones se cosechan verdes, y una vez arrancados del árbol, se colocan en naves de curado, donde la temperatura y la humedad se controlan con sumo cuidado. Poco a poco, los limones verdes van adquiriendo su típica tonalidad amarillenta.

Pero no sólo adquieren este color, sino que además mejoran su sabor como consecuencia del proceso de curado. El limón es una de las frutas que saben mucho mejor mucho tiempo después de haber sido recogidos que cuando se arrancan del árbol. Suelen permanecer en las naves de curado durante tres meses poco más o menos.

LAS NARANJAS VERDES AÚN NO HAN MADURADO

Las naranjas adquieren su coloración anaranjada durante los meses de invierno y, con frecuencia, se vuelven verdes al llegar de nuevo el calor. Cuando se recogen verdes, se blanquean o tiñen artificialmente antes de distribuirlas en el mercado. En cualquier caso, no es cierto que las naranjas verdes sean demasiado tempranas o menos maduras. A decir verdad, pueden ser más maduras o tardías que las de color anaranjado.

LAS NARANJAS SON ORIGINARIAS DE FLORIDA O CALIFORNIA

La naranja no es originaria de Florida ni de California, sino que en realidad provienen de Asia y aparecieron en el sur de Europa en la Edad Media. Fueron los primeros exploradores españoles del siglo XVI quienes las introdujeron en Florida y, más tarde, en California. Por ley, cada marinero español debía transportar cien semillas de naranjas si viajaba al Nuevo Mundo. Así pues, las naranjas no llegaron a Europa procedentes de Florida o California, sino al revés.

EL *PEKOE* ES UNA CLASE DE TÉ

El término *pekoe* no se refiere a ningún tipo de té, sino al tamaño de su hoja. En consecuencia, el conocido *orange pekoe* no es una variedad de té, sino una hoja de té de un tamaño determinado.

Hay tres tipos principales de té: negro (totalmente fermentado), *oolong* (parcialmente fermentado), y verde (sin fermentar). Otros términos utilizados en relación con el té, tales como *pekoe*, *orange pekoe*, *souchong* y *fannings*, indican asimismo tamaños de hoja.

LAS PALOMITAS DE MAÍZ SON UNA INVENCIÓN MODERNA

Comer palomitas de maíz está asociado a ver la televisión o ir al cine, y de ahí que esté considerado como un invento relativamente reciente. Aunque su venta comercial en masa no empezó mucho antes del siglo XX, lo cierto es que su consumo es mucho más antiguo.

Antes de que llegaran los primeros europeos, los indígenas de América del Norte cultivaban un tipo de maíz ideal para la elaboración de palomitas, que dicho sea de paso, les encantaban. Fueron ellos quienes las dieron a conocer a los colonos ingleses, que las degustaron por primera vez en la célebre cena de Acción de Gracias de otoño de 1621.

El «estallido» del maíz se produce cuando la humedad del grano se transforma en vapor. Cuando la presión alcanza un nivel sufi-

ciente, el grano explota, aumentando hasta treinta veces su tamaño original.

LA PATATA IRLANDESA ES ORIGINARIA DE IRLANDA

La patata de Irlanda, o patata blanca, que desde siempre ha sido un alimento indispensable en aquel país, no tuvo sus orígenes allí, sino que es nativa de las regiones montañosas de América del Sur, y aún hoy se puede encontrar creciendo salvaje en las tierras altas de Ecuador y Perú.

Cuando los españoles llegaron a Perú, encontraron las patatas que cultivaban los indígenas, llamadas «papas», y las trajeron a España, desde donde se extendieron progresivamente hasta una buena parte de Europa, llegando a Inglaterra e Irlanda a finales de la década de 1500.

Aunque en general los europeos se mostraban reacios a consumirlas, destinándolas principalmente a alimentar el ganado vacuno y los cerdos, a los irlandeses les entusiasmaban, y muy pronto las convirtieron en el alimento más importante de su dieta. En realidad, cuando en 1845 se perdió la cosecha de patatas, Irlanda sufrió una terrible hambruna.

EL CHOP SUEY ES UN PLATO CHINO

Aunque no se sabe a ciencia cierta quienes fueron los primeros que elaboraron el chop suey, se cree que tuvo sus orígenes en las explotaciones mineras de California. Era una especie de potaje que se preparaba con cualquier tipo de ingredientes que el cocinero, por regla general chino, tuviera a mano. En cualquier caso, sea o no ésta la procedencia de este plato, la verdad es que el chop suey no se conoce ni se come en China.

EL CONDE DE SANDWICH INVENTÓ EL SÁNDWICH

John Montagu (1718-1792), el cuarto conde de Sandwich, está considerado como el inventor del sándwich. Entre los vicios del corrupto conde figuraba la adicción a las apuestas. Se cuenta que para no tener que interrumpir sus partidas de cartas a la hora de las comidas, ordenaba a sus sirvientes que le trajeran un filete de carne entre dos rebanadas de pan.

Sin embargo, mucho antes de que el conde en cuestión diera su nombre a este alimento tan popular, los antiguos romanos ya comían una especie de sándwiches, llamados *offula*, que significa pedacito o bocado. A partir de la era romana, han sido innumerables los países que han incorporado sándwiches de uno u otro tipo en su dieta alimenticia.

LA GOMA DE MASCAR SE INVENTÓ
EN ESTADOS UNIDOS

La goma de mascar no es un invento reciente ni tampoco fue elaborada por primera vez en Estados Unidos. Los antiguos griegos mascaban una goma que obtenían del árbol del caucho. Asimismo, los indígenas de Nueva Inglaterra mascaban un tipo de goma que elaboraban con la resina de la picea, y a principios de la década de 1800, se comercializó en Estados Unidos una especie de goma de mascar que también se elaboraba a partir de aquella resina.

El chicle, que fue utilizado por primera vez por los mayas y otras culturas de América Central hace muchos siglos, fue introducido en Estados Unidos alrededor de 1860 y se convirtió en la primera goma de mascar moderna y popular.

LAS BANANAS SE COSECHAN VERDES PARA QUE NO SE ESTROPEEN DURANTE EL TRANSPORTE

Muchas frutas se recogen cuando aún están verdes para que no maduren demasiado durante el transporte y almacenamiento, pero éste no es el caso de las bananas.

Las bananas no maduran como es debido si se dejan en la planta, e incluso las que están destinadas al consumo local se cosechan verdes. Si se dejan madurar en la planta, pierden parte de su sabor, la piel se rompe y facilita la entrada a bacterias e insectos.

LAS ESPECIAS ERAN MUY APRECIADAS EN LA EDAD MEDIA PORQUE REALZABAN EL SABOR DE LOS ALIMENTOS Y LOS CONSERVABAN

Como todo el mundo sabe, la búsqueda de una ruta corta hacia el Lejano Oriente y sus especias llevó al descubrimiento y la ex-

ploración del Nuevo Mundo. Las especias, y en particular la pimienta, era carísima en la época en que llegó a Europa, a causa de su largo trayecto de transporte de miles de kilómetros a través de desiertos, montañas y ríos. Asimismo, las caravanas sufrían muy a menudo el ataque de bandas de ladrones. Una inmensa riqueza y poder esperaban a los descubridores de una nueva y mejor ruta hacia Oriente.

Lo que no se suele saber es que, en sus orígenes, las especias no se utilizaban para realzar el sabor de los alimentos y conservarlos, sino que eran muy apreciadas para su uso en la preparación de diversas medicinas.

LA SODA ES UN INVENTO NORTEAMERICANO

El agua carbónica y aromatizada se ha desarrollado en gran medida en Estados Unidos, pero en 1767, el gran científico inglés Joseph Priestley (1733-1804) elaboró por primera vez el agua carbónica.

Alrededor de cuarenta años más tarde, un farmacéutico de Philadelphia añadió aromas de frutas al agua efervescente de Priestley. La bebida alcanzó una extraordinaria popularidad y no tardaron en aparecer nuevos e innumerables productos de mercado en todos los colores y sabores.

LOS HELADOS REDUCEN EL CALOR

Los helados saben bien y dan sensación de frescor, pero en realidad no enfrían el cuerpo, aunque así lo parezca después de haber comido algunos en un día caluroso. Los helados son ricos en grasas y, en consecuencia, tienen muchas calorías que, a fin de cuentas, no hacen sino calentar el cuerpo en lugar de enfriarlo.

LOS HELADOS SON ORIGINARIOS DE ESTADOS UNIDOS

Mucha gente está convencida de que los helados son tan americanos como el pastel de manzana, y si bien es cierto que este país es el líder mundial en la producción de helados, no son originarios de allí.

Según parece, los helados se han desarrollado a partir de ciertos platos helados y aromatizados que se comían en los tiempos antiguos. Se sabe que en la corte del emperador romano Nerón, en el siglo I, se añadía nieve a los zumos de uva y de frutas en general.

Tras la caída de Roma, el helado desapareció de Europa y no fue reintroducido hasta el siglo XIII, cuando Marco Polo, el gran explorador veneciano, trajo de Oriente recetas para la elaboración de un plato más avanzado a base de leche como ingrediente principal. A partir de entonces, el arte de la elaboración de helados se extendió por toda Europa, y en la década de 1600, los primeros colonos ingleses los introdujeron en el Nuevo Mundo.

Segunda parte

HISTORIA

LOS ROMANOS USABAN CARROS EN LAS GUERRAS

El carro fue utilizado por vez primera en una guerra por los sumerios, alrededor del año 2000 a.C., y más tarde por los egipcios. Por su parte, los romanos, que también usaron los carros, los destinaban a los desfiles y las carreras. Entusiasmados por las carreras de carros, organizaban equipos y celebraban hasta veinte carreras al día.

Pero, desde luego, contrariamente a lo que mucha gente cree, nunca los utilizaron en combate.

JULIO CÉSAR FUE UN EMPERADOR ROMANO

Julio César (100-44 a.C.) fue un famoso general romano, estadista, orador y escritor. Fue cónsul en cinco ocasiones y le fue concedido el título de *dictator*, pero nunca fue emperador. En la época de Julio César, Roma era una república, y el Imperio Romano no se fundó hasta diecisiete años después de morir asesinado, cuando Augusto se convirtió en el primer emperador romano.

CLEOPATRA ERA EGIPCIA

Cleopatra (69-30 a.C.) puede haber sido la reina de Egipto, pero no era egipcia, sino en parte macedonia, en parte griega y en parte iraní.

A decir verdad, en la historia de Egipto, Cleopatra no tuvo demasiada importancia. Fue el último de los corruptos y ambiciosos gobernantes ptolomeicos, y su significación reside principalmente en su asociación con Julio César y Marco Antonio.

POMPEYA FUE DESTRUIDA POR LA LAVA FUNDIDA

La idea común de que Pompeya fue destruida por la lava fundida es errónea. No fue la lava, sino los vapores y las cenizas lo que mató a muchos habitantes de Pompeya y enterró la ciudad.

En realidad, Pompeya sufrió dos desastres. En el año 63 d.C. un gran terremoto la destruyó casi por completo. Los ciudadanos empezaron a reconstruirla, pero durante el proceso, en el año 79 d.C., el monte Vesubio, un volcán cercano, entró en erupción. Pompeya y las ciudades vecinas de Herculaneum (Herculano) y Stabiae también quedaron enterradas bajo las cenizas.

De haber sido a causa de la lava fundida, no habría sido posible desenterrarla tan fácilmente siglos más tarde ni se habría conservado de una forma tan extraordinaria. Hoy en día, la visita a las ruinas de Pompeya constituye un rito turístico muy popular.

Se desconoce cuántos de los 20.000 a 22.000 habitantes de la ciudad perecieron durante la erupción.

LA GAITA ES ORIGINARIA DE ESCOCIA

Los orígenes de la gaita se remontan probablemente a la Edad Media, tal vez en Persia, y fue introducida posteriormente en Europa y las Islas Británicas por los romanos. En Escocia es donde este instrumento musical ha alcanzado la máxima popularidad, aunque también existen versiones más o menos parecidas en Italia, Francia, Irlanda, Alemania, los Balcanes, España e incluso Escandinavia.

LA NUMERACIÓN ÁRABE FUE INVENTADA POR LOS ÁRABES

Contrariamente a la creencia popular, la numeración árabe no fue inventada por los árabes, sino que sus orígenes hay que buscarlos en India.

En efecto, símbolos muy parecidos a los numerales árabes se han descubierto en cuevas indias que se remontan a los siglos III y IV. Los primeros matemáticos indios realizaron importantes contribuciones al desarrollo de la aritmética y el álgebra al estar familiarizados con la numeración árabe y su uso. Con el tiempo, comerciantes y eruditos árabes los introdujeron en el mundo musulmán, hasta que finalmente, los árabes del norte de África los llevaron a Europa en el siglo x, precisamente cuando el continente estaba empezando a emerger de la edad oscura.

Esta numeración se denomina «árabe» no porque fuera inventada por los árabes, sino porque fueron ellos los que la introdujeron en Europa desde India.

SANTA CLAUS NO ERA UNA PERSONA REAL

La gente que dice que Santa Claus es pura ficción, está equivocada. La cautivante imagen del hombre gordito, alegre y barbudo, ataviado con un traje rojo, que reparte regalos en Navidad se basa en una persona que realmente existió.

San Nicolás, ampliamente considerado como el santo patrón de los niños, comerciantes y marineros, fue un obispo cristiano que vivió en el siglo IV en el Próximo Oriente. En el siglo XI se convirtió en

el santo guardián de los marineros, que construyeron innumerables iglesias en su honor en toda Europa y en las que se instituyó la costumbre de que los niños de la escolanía corrieran de aquí para allá, de casa en casa, pidiendo pequeños obsequios el día 6 de diciembre, el supuesto aniversario del santo. Esta costumbre de dar regalos el día de san Nicolás se extendió por toda Europa y, finalmente, la celebración se asoció a la Navidad.

Los primeros colonos holandeses llevaron consigo a América la idea del simpático y dadivoso san Nicolás. De ahí que el santo, o Santa Claus como fue bautizado, también se convirtiera en un querido símbolo navideño en América.

LOS CABALLEROS MEDIEVALES CON ARMADURA APENAS SE PODÍAN MOVER

Una creencia persistente pero equivocada acerca de la vida medieval es que los caballeros completamente armados para el combate

eran prisioneros de su propia armadura. Según se cuenta, era tan pesada y rígida que les resultaba imposible montar o desmontar del caballo sin ayuda, y que sólo podían mover ligeramente los brazos y las piernas.

Pero la realidad es muy diferente. Una armadura completa sólo pesaba entre 22,7 y 24,9 kg, es decir, el equivalente del equipo de campaña de un soldado actual. Los caballeros así ataviados podían moverse con facilidad, montar y desmontar sin ayuda, subir escaleras y desenvolverse como cualquier otro guerrero medieval.

EL REY ARTURO FUE UN REY

Si existió o no en Inglaterra un rey Arturo allá por el siglo VI d.C. sigue siendo objeto de debate entre los historiadores. Sin embargo, las evidencias disponibles sugieren que el rey Arturo no fue un rey, y que muy probablemente ni siquiera fuera inglés.

Alrededor del año 540 d.C., Gildas, el primer historiador galés, no hacía mención alguna a tal personaje. Por su parte, Nennius, que escribió más de dos siglos más tarde, alrededor del año 800, se refiere a Arturo, pero no como rey. El primer relato de la historia del rey Arturo fue escrito otros tres siglos más tarde, en 1137, por Geoffrey de Monmouth, en su *History of the Kings of England*. Posteriormente, poetas y escritores continuaron versando sobre su vida y proezas en los siglos siguientes hasta la actualidad. El cuerpo de escritos resultante se conoce en su conjunto como Arthurian Romances, una recopilación eminentemente literaria, no histórica.

A partir de las evidencias históricas de que disponemos, debemos concluir que el rey Arturo no fue un rey, sino un líder o general militar contratado por los numerosos e insignificantes reyes y caciques británicos para que coordinara sus fuerzas contra los invasores germánicos que amenazaban con invadir y ocupar todo el país. Nennius cita a Arturo como *dux bellorum*, un título romano que se puede traducir como «generalísimo» o «comandante en jefe». El rey Arturo no fue rey de Inglaterra ni de ningún otro lugar.

Por lo demás, es probable que tampoco fuera británico, sino un descendiente de los romanos que habían invadido las islas en el siglo I y que permanecieron allí hasta el siglo IV. Sus ancestros bien podrían haber sido romanos o, por lo menos, romano-británicos.

GUILLERMO TELL EXISTIÓ EN REALIDAD

Guillermo Tell, el símbolo de la libertad suiza contra la tiranía y la dominación extranjeras, no fue un personaje real, sino legendario.

Según los relatos y leyendas folclóricos, un oficial austríaco llamado Gessler gobernaba con mano de hierro el distrito suizo de Uri durante el siglo XIV, obligando a sus habitantes a rendir homenaje a una especie de solideo que colgaba en la plaza de la localidad de Altdorf. El gorro en cuestión simbolizaba el dominio austríaco sobre Suiza. Siempre según la leyenda, el líder de la resistencia era Guillermo Tell.

Gessler estaba enfurecido por el constante desafío de Tell, y para poner fin a su reputación, le ordenó que disparara una flecha hacia una diana muy especial: una manzana colocada en equilibrio sobre la cabeza de su propio hijo. El bien triunfó sobre el mal, y la libertad sobre la tiranía. Se cuenta que, más tarde, Guillermo Tell dio muerte a Gessler, quedando así los suizos libres del dominio extranjero.

La primera versión de la leyenda de Tell apareció en el siglo XV, y ha inspirado innumerables obras teatrales y óperas. Sin embargo, a pesar de los esfuerzos de los eruditos para confirmar la existencia de tal personaje, no se ha podido encontrar ninguna evidencia que revele que un tal Guillermo Tell existió en Suiza en el siglo XIV.

FERNANDO DE MAGALLANES FUE EL PRIMER NAVEGANTE QUE DIO LA VUELTA AL MUNDO

Mucha gente tiene la impresión de que Fernando de Magallanes (1480?-1521) fue el primer navegante que circunnavegó la Tierra, pero no es cierto.

Magallanes zarpó de España el 20 de septiembre de 1519, atravesó el Atlántico, llegó a América del Sur y siguió navegando hacia el sur, a lo largo de la costa, hasta rodear la punta meridional del continente americano, lo que hoy se conoce como Estrecho de Magallanes. Luego, cruzó el Pacífico y llegó a las Filipinas, donde murió asesinado en la isla de Mactan el 27 de abril de 1521.

El viaje de vuelta a España lo completó el barco *Victoria* bajo el mando de Juan Sebastián el Cano. En consecuencia, Magallanes no vivió lo suficiente como para circunnavegar el mundo. El primer navegante que realmente consiguió esta hazaña fue el almirante inglés sir Francis Drake (1543-1596).

LOS AZTECAS Y LOS INCAS FUERON DESTRUIDOS EN GRAN MEDIDA POR LOS ESPAÑOLES

Ni que decir tiene que las campañas militares españolas sembraron la muerte y la destrucción entre los aztecas y los incas. No obstante, lo más devastador para estas extraordinarias civilizaciones fueron las enfermedades que los conquistadores introdujeron en el Nuevo Mundo. Los aztecas y los incas, que carecían de inmunidad a los gérmenes comunes en España, sufrieron epidemias de viruela y probablemente de sarampión y gripe, hasta el punto de quedar virtualmente aniquilados en las costas de México, mientras que en las regiones del interior, las bajas entre la población alcanzaron casi el 80 %. En Perú, casi el 90 % de los nativos que vivían en las inmediaciones de la Lima actual perecieron a causa de enfermedades extranjeras en menos de cincuenta años.

EL COHETE ES UN INVENTO MODERNO

El cohete fue inventado por los chinos allá por el año 1200, un siglo antes que el cañón. Los cohetes primitivos consistían en un simple cilindro lleno de pólvora negra a modo de propulsor. El primer uso militar de los cohetes jamás registrado fue en el sitio de Kaifeng, China, en 1232.

El cohete se extendió a Europa, donde está documentado su uso en el año 1258, en Colonia, Alemania. Sin embargo, el cañón, un arma de mucha mayor precisión, no tardó en desplazar al cohete, que a partir de entonces se destinó a efectos navales.

A finales del siglo XVIII se despertó de nuevo el interés militar en los cohetes, introduciéndose mejoras en su diseño, sobre todo en el Reino Unido.

LA GUILLOTINA DEBE SU NOMBRE AL DE SU INVENTOR

La guillotina, un mecanismo destinado a la decapitación, no fue inventada por el doctor Joseph I. Guillotin (1738-1814), aunque lleve su mismo nombre. El doctor Guillotin, médico francés, se limitó simplemente a recomendar el desarrollo de un artilugio de este tipo para ajusticiar a los criminales de una forma lo más rápida e indolora posible.

Fue el doctor Antoine Louis quien realmente diseñó la guillotina. Tras haber sido probada con ovejas y cadáveres humanos, Francia la adoptó oficialmente en 1792. Al principio se conocía como *louisette* en honor de su inventor, aunque, muy a pesar del doctor Guillotin, prevaleció el nombre de quien había inspirado su construcción.

LA BATALLA DE WATERLOO SE LIBRÓ EN WATERLOO

Una de las batallas más decisivas de la historia, la batalla de Waterloo, tuvo lugar el 18 de junio de 1815, enfrentando a Napoleón Bonaparte y otros ejércitos europeos. Napoleón fue derrotado. No obstante, y a pesar de su nombre, el combate no se libró en Waterloo, sino en una localidad belga situada 3,2 km al sur.

LOS INGENIOS VOLADORES NO SE UTILIZARON CON FINES MILITARES HASTA LA PRIMERA GUERRA MUNDIAL

Teniendo en cuenta que el primer aeroplano no consiguió volar hasta principios de la década de 1900, se suele suponer que los artefactos voladores no se empezaron a utilizar con fines militares hasta la primera guerra mundial (1914-1918) pero, en realidad, la primera unidad aérea militar se creó en Francia en 1793, más de un siglo antes de la primera gran conflagración.

Durante las guerras revolucionarias francesas, el gobierno francés constituyó un comité integrado por los mejores científicos de la época para que aportaran sus conocimientos al esfuerzo bélico. Guyton de Morveau, un apasionado por los aerostatos, sugirió su uso a efectos militares. Según decía, el aerostato se podía usar para organizar y dirigir a los ejércitos en el campo de batalla y espiar los movimientos del enemigo. Éste fue pues el primer ingenio aéreo militar.

Por su parte, la aviación militar en Estados Unidos se inició en los primeros años de la guerra civil, con el uso de globos aerostáticos por parte de la fuerzas de la Unión con fines de reconocimiento. Al término de la guerra, esta actividad se interrumpió, y no se reanudó de nuevo hasta la primera guerra mundial con los aparatos más pesados que el aire. Durante la segunda guerra mundial, la aviación militar fue aceptada por primera vez como un servicio militar en igualdad de condiciones a los restantes.

CHARLES LINDBERGH REALIZÓ EL PRIMER VUELO TRANSATLÁNTICO

La primera persona que consiguió cruzar, sin escalas, el Atlántico no fue Charles A. Lindbergh. Otras sesenta y seis personas lo habían hecho ya con anterioridad.

En junio de 1919, mucho antes de su famoso vuelo en el año 1927, John William Alcock y Arthur Whitten Brown volaron desde St. Johns, en Nueva Zelanda, hasta Irlanda en un aeroplano bimotor Vickers. Asimismo, un mes más tarde, en julio de 1919, treinta y una personas atravesaron el océano en el dirigible británico R-34, cuyo viaje, por cierto, fue de ida y vuelta. Y en octubre de 1924, una tripulación de treinta y tres hombres cruzó el Atlántico a bordo del dirigible alemán LX-216.

Así pues, Lindbergh sólo fue el primer hombre que realizó un vuelo transatlántico sin escalas en solitario.

EL AJEDREZ CHINO ES CHINO

El ajedrez chino, que es como se conoce, es un juego muy popular en el que participan de dos a seis jugadores con canicas de colores en un tablero cuadriculado hexagonal. Es una moderna versión del juego inglés del siglo XIX llamado «Halma», un término griego que significa «salto». El juego se popularizó en Estados Unidos en la década de 1930. El ajedrez chino no tiene pues nada que ver con China.

LOS PRIMEROS COLONOS AMERICANOS VIVÍAN EN CABAÑAS DE MADERA

Los primeros colonos en América no vivían en primitivas chozas de troncos de madera. John Smith, el gobernador Bradford, Los Padres Fundadores (Founding Fathers), etc., ninguno de ellos vivió en chozas de madera.

Tras haberse guarecido provisionalmente en cabañas al llegar al Nuevo Mundo, los primeros colonos ingleses no tardaron en construir casas de ladrillo.

Las cabañas de madera se popularizaron mucho más tarde en las regiones fronterizas orientales, lejos de los asentamientos en la costa. Abraham Lincoln, por ejemplo, nació en una cabaña de madera en la frontera de Kentucky en 1809.

Las múltiples representaciones artísticas que muestran a los Puritanos (Puritans) regresando a sus cabañas de madera tras haber compartido con los indígenas una cena de Acción de Gracias, se basan en la imaginación, no en los hechos.

EN SALEM SE QUEMABA A LAS BRUJAS

Es una creencia muy extendida y errónea que en Salem, Massachussetts, a finales del siglo XVII, quienes eran acusados de brujería morían en la pira. A decir verdad, el método de ejecución para este tipo de convictos era la horca y, por lo menos en una ocasión, el aplastamiento con grandes rocas.

En Salem, diecinueve personas (trece mujeres y seis hombres) fueron colgados. Aunque la fiebre de la caza de brujas fue una de las páginas más oscuras en la historia de Estados Unidos, en Europa la situación fue bastante peor, pues allí miles de personas a las que se creía brujas eran quemadas hasta la muerte y decapitadas durante los siglos XV, XVI y XVII.

EL DÓLAR AMERICANO FUE LA MONEDA PRINCIPAL DESPUÉS DE LA REVOLUCIÓN

El dólar estadounidense no fue la moneda principal de la joven república americana. El dólar español había sido la divisa predominante a principios del período colonial y continuó siéndolo incluso después de la Revolución. El cambio de divisas por otras monedas extranjeras se solía expresar en términos de dólares españoles.

No fue hasta 1857 que las monedas extranjeras, incluyendo el dólar español, fueron declaradas de curso ilegal.

TODOS LOS PRESIDENTES DE ESTADOS UNIDOS HAN SIDO CIUDADANOS AMERICANOS

Dado que todos los presidentes modernos de este país eran ciudadanos de Estados Unidos, se suele suponer que todos los presidentes lo han sido, cuando, en realidad, los siete primeros eran británicos; a decir verdad, cuando nacieron, Estados Unidos no existía. Martin Van Buren, el octavo presidente (1837-1841), fue el primero que había nacido como ciudadano americano.

La Constitución de Estados Unidos establece que: «Sólo un nacido en Estados Unidos o un ciudadano de Estados Unidos podrá ser elegido para el cargo de presidente [...]». Una vez ratificada la Constitución, salvo expresa renuncia a la ciudadanía (muchos lealistas lo hicieron), todos los que antes eran británicos se convirtieron en ciudadanos de Estados Unidos. A los siete primeros presidentes se les concedió la ciudadanía, convirtiéndose así en electos para el cargo.

THE STAR-SPANGLED BANNER SIEMPRE HA SIDO EL HIMNO NACIONAL DE ESTADOS UNIDOS

Pues no. *The Star-Spangled Banner* fue escrito por Francis Scott Key (1779-1843) durante la guerra de 1812, y luego interpretado muy a menudo en ocasiones patrióticas, pero en realidad no se convirtió en el himno nacional oficial hasta casi 120 años más tarde, el 3 de marzo de 1931, cuando el Congreso de Estados Unidos así lo aprobó por ley.

Lo que pocos saben es que Francis Scott Key sólo escribió la letra de la canción. Aunque parezca una ironía, la melodía de *The Star-Spangled Banner* fue tomada de *To Anacreon in Heaven*, ¡una canción inglesa!

ALEXANDER GRAHAM BELL INVENTÓ EL TELÉFONO

Alexander Graham Bell (1847-1922) no inventó el teléfono él solo, sino que el mérito debería compartirlo también el norteamericano Elisha Gray (1835-1901).

Elisha Gray ideó un práctico diseño para el teléfono al mismo tiempo que Alexander Graham Bell. A decir verdad, ambos presentaron la solicitud de invención en la Oficina de Patentes de Estados Unidos el mismo día, el 14 de febrero de 1876, con dos horas de diferencia. Ninguno de los dos sabía, por aquel entonces, que su homólogo también había solicitado la patente.

En el momento de la solicitud de las dos patentes, ni Gray ni Bell habían conseguido una transmisión verbal satisfactoria, aunque al parecer, el diseño de Gray estaba más perfeccionado. En efecto, el que éste presentó en la Oficina de Patentes habría funcionado, mientras que el que se describe en la patente de Bell no. En cualquier caso, Gray no insistió con tanto ahínco en la reivindicación de sus derechos como inventor del teléfono. Es posible que diera por supuesto que había perdido la carrera con Bell o que no apreciara lo suficiente la necesidad de iniciar de inmediato la producción comercial del ingenio.

Por su parte, Alexander Graham Bell no perdió un solo segundo, perfeccionando el diseño y destinándolo a su comercialización. Cuando Gray empezó a reclamar contra la exclusiva de invención de Bell, ya era demasiado tarde. Tras varios años de litigios en los tribunales, Bell fue nombrado legalmente inventor del teléfono.

Hoy en día, muchos consideran injusta y parcial aquella resolución judicial, que no tuvo en consideración la contribución de Gray. Su trabajo fue tan significativo como el de Bell, y por lo menos se le hubiera podido reconocer la cualidad de co-inventor.

En 1872, Elisha Gray fundó la Western Electric Company, la compañía matriz de la actual Western Electric Company.

EDISON INVENTÓ LA BOMBILLA

A Thomas Alva Edison (1847-1931) se le atribuye injustamente la cualidad de inventor exclusivo de la bombilla. Sin Joseph Swan

(1828-1914), químico e inventor inglés, empezó a trabajar en una lámpara incandescente en 1848. Las lámparas que construyó daban una luz muy escasa y ardían rápidamente debido a la ausencia de un buen vacío y una adecuada fuente de alimentación eléctrica. La tecnología del período no era lo bastante avanzada como para solucionar los problemas técnicos, y en 1860 decidió abandonar sus experimentos.

Años más tarde, sir Joseph Swan reanudó sus investigaciones sobre la bombilla, y en 1878 desarrolló un diseño satisfactorio con un filamento de carbón en un tubo de cristal en vacío. Edison llegó a esta misma conclusión, pero un año más tarde.

Edison está asociado a la bombilla eléctrica no por ser el primero que consiguió construir una bombilla funcional, sino porque sus actividades propiciaron el desarrollo de líneas de alta tensión y otros equipos necesarios para que la bombilla pudiera formar parte de un sistema práctico de iluminación.

LOS ESPAÑOLES HUNDIERON EL *MAINE*

Uno de los sucesos que desembocaron en la guerra hispano-americana fue el hundimiento del *Maine*, un buque de guerra de la Marina de Estados Unidos, en el puerto de La Habana, Cuba, la noche del 15 de febrero de 1898. La explosión causó la muerte de dos oficiales y 258 miembros de la tripulación.

Cuando la noticia del hundimiento llegó a oídos americanos, los españoles fueron acusados inmediatamente de lo acontecido y la nación se sintió gravemente ultrajada, enardecida muy especialmente por los periódicos conservadores. «¡Recordad el *Maine*!» se convirtió en el grito de guerra.

En realidad, la causa del hundimiento nunca fue determinada, y aún hoy no se sabe a ciencia cierta cuál fue el origen de la explosión o de si procedió de dentro o de fuera del buque.

Así pues, como excusa para declarar la guerra a España, el hundimiento del *Maine* fue a todas luces insuficiente.

NUEVA YORK SIEMPRE HA SIDO LA CIUDAD MÁS GRANDE DE ESTADOS UNIDOS

Philadelphia, y no Nueva York, fue la ciudad más grande de Estados Unidos durante los primeros años de la joven república.

En el censo de 1790, Philadelphia figuraba en cabeza, con 42.000 habitantes, seguida de Nueva York, con 32.000. En los censos de 1800 y 1810, Philadelphia seguía en primer puesto, y no fue sino hasta el de 1820 que Nueva York superó a Philadelphia con 123.706 habitantes, frente a los 119.325 de ésta. En realidad, la diferencia entre las dos urbes no era ni con mucho excesiva como para que Philadelphia no pudiera tener la esperanza de recuperar el liderazgo. Sin embargo, tras la apertura del Erie Canal en 1825, cualquier futura rivalidad quedó zanjada: Nueva York, acababa de convertirse en el punto principal de partida hacia el Medio Oeste.

En 1840, la población de Nueva York ascendía a 312.710 habitantes, mientras Philadelphia tenía cien mil menos.

LA CIUDAD NORTEAMERICANA MÁS EXTENSA EN TÉRMINOS DE SUPERFICIE ES LOS ÁNGELES

Los Ángeles es famosa por su vasta geografía y sus múltiples secciones conectadas por lo que da la impresión de ser interminables autopistas. No obstante, esta ciudad es en realidad la segunda en extensión. En efecto, Jacksonville, Florida, aun con una menor población, es la ciudad más grande de Estados Unidos en tamaño físico. Jacksonville tiene una superficie de 2.184 km^2, mientras que la de Los Ángeles apenas alcanza los 1.206 km^2.

HOLLYWOOD ESTÁ EN CALIFORNIA

Aunque más de una docena de estados tienen ciudades o pueblos llamados Hollywood, en la actualidad, en California no hay ninguna que lleve este nombre.

En la década de 1880 se colonizó un territorio que actualmente forma parte de Los Ángeles, y la esposa de Horace H. Wilcox, uno de los primeros pioneros en aquella región, lo bautizó como Hollywood.

En 1903 se fundó la ciudad, y en 1910 los residentes votaron su incorporación a Los Ángeles. Hoy en día, Hollywood es un distrito de la ciudad de Los Ángeles situado a 12 km al norte de Los Angeles Civic Center, y aunque es famosa por ser el corazón de la industria cinematográfica, es en gran medida una comunidad residencial.

ESTADOS UNIDOS ES UNA NACIÓN DE GRANDES CIUDADES

Contrariamente a la creencia popular, Estados Unidos no es una nación de grandes ciudades. El porcentaje de población que vive en las grandes metrópolis no ha cambiado desde 1910, año en que el 9,2 % de la población de Estados Unidos vivía en urbes de 1.000.000 de habitantes o más. En 1970, esta cifra seguía siendo la misma: el 9,2 % de la población vivía en ciudades de 1.000.000 de habitantes o más. Sólo el porcentaje de quienes residían en pequeñas ciudades, de entre 10.000 y 100.000 habitantes, creció entre 1910 y 1970.

Asimismo, tampoco es cierto que Estados Unidos sea una nación eminentemente urbana. A partir del censo de 1970, se convirtió en una nación suburbana. En efecto, según consta en el mismo, 75.600.000 personas vivían en extrarradios; 63.200.000 en áreas rurales; y sólo 63.800.000 residían en las ciudades. De estas cifras se puede concluir que sólo el 21,5 % de los norteamericanos viven en ciudades; los demás lo hacen en extrarradios o áreas rurales. En la actualidad, la suburbanización de Estados Unidos continúa en ascenso a costa de las grandes urbes.

EL CANDIDATO CON MÁS VOTOS ES ELEGIDO PRESIDENTE

No es cierto que el candidato más votado sea elegido automáticamente presidente de Estados Unidos, sino que es el Colegio Electoral, y no el voto popular, el que determina quién ocupará este cargo. En realidad, cuatro campañas presidenciales, el candidato vencedor recibió un menor número de votos de los miembros del Colegio Electoral, concretamente las de 1824, 1876, 1888 y 2002.

AÑO	CANDIDATOS	PORCENTAJE DE VOTO POPULAR
1824	Andrew Jackson	43,1
	John Quincy Adams*	30,5
1872	Samuel Tilden	51,5
	Rutherford B. Hayes*	48,5
1888	Grover Cleveland	48,6
	Benjamin Harrison*	47,9
2002	Albert Gore, jr.	48,4
	George W. Bush*	47,9

**Vencedor en las elecciones*

Tercera parte

Ciencia

ASTRONOMÍA

COPÉRNICO FUE EL PRIMERO EN ASEGURAR QUE EL SOL ERA EL CENTRO DEL SISTEMA SOLAR

A Nicolás Copérnico (1473-1534), el célebre científico polaco fundador de la astronomía moderna, se le suele considerar como el primer hombre que aseguró que el sol era el centro de nuestro sistema planetario, y que los planetas, incluida la Tierra, giraban a su alrededor. Pero en realidad fue Aristarco de Samos quien, en el siglo III a.C., desarrolló una teoría según la cual era el sol y no la Tierra el que ocupaba la posición central en el sistema solar.

Sin embargo, el análisis del universo de Aristarco no fue aceptado por sus colegas griegos. Después de todo, ¿acaso no era evidente al ojo humano lo que realmente sucedía en los cielos? El sol salía por el este y se ponía por el oeste, y la luna y las estrellas giraban en el firmamento. Todo parecía moverse excepto la Tierra. En consecuencia, la humanidad siguió considerándola como el centro del universo, el planeta alrededor del cual todo giraba. No fue hasta Copérnico que esta noción fue abandonada, a pesar de una más que notable resistencia inicial.

HASTA QUE COLÓN DEMOSTRÓ LO CONTRARIO, LA GENTE CREÍA QUE EL MUNDO ERA PLANO

No es cierto. Ya en el siglo VI a.C., Pitágoras de Grecia estaba convencido de que la Tierra era redonda. Por su parte, el astrónomo Claudio Ptolomeo, en el siglo II d.C. observó que, durante un eclipse, la sombra de la Tierra que se proyectaba en la luna era redonda, por lo que concluyó que la Tierra propiamente dicha también lo era. Asimismo, Ptolomeo también observó que el mástil de un barco aproximándose a tierra era visible antes que el casco, asegurando que aquello sólo era posible porque la Tierra era esférica.

EL SOL ESTÁ MÁS LEJOS DE LA TIERRA EN INVIERNO

Existe una creencia muy común, y errónea, de que el frío invernal se debe a que el sol está más lejos de la Tierra, cuando en realidad, en invierno está más cerca que en cualquier otra estación: alrededor de 4.830.000 km más próximo de nuestro planeta a mediados de invierno que a mediados de verano.

No es la distancia cambiante del sol a la Tierra lo que determina el cambio de estación, sino la inclinación del eje terrestre, que supera ligeramente los 23°. Cuando está orientada al sol, como ocurre en verano, los rayos solares inciden en la Tierra de una forma más directa, y por lo tanto calientan más, que cuando aquélla está inclinada en la dirección opuesta, como en invierno. En cualquier caso, esto sólo es así en el hemisferio norte; en el hemisferio sur ocurre lo contrario.

Si el eje planetario fuera vertical, no inclinado, no habría estaciones tal y como las conocemos, sino que en las regiones próximas al ecuador siempre sería verano, y en las áreas cercanas a los polos siempre sería invierno.

EL SOL PERMANECE INMÓVIL MIENTRAS LA TIERRA ORBITA A SU ALREDEDOR

Cualquier niño en edad escolar sabe que la Tierra gira alrededor del sol. En realidad, lo hace a una velocidad de 107.000 km/h, completando una órbita cada año. Pero lo que mucha gente no sabe es que el sol no está inmóvil, sino que también se desplaza por el espacio.

Todo el sistema solar gira alrededor del centro de nuestra galaxia, la Vía Láctea, a una velocidad vertiginosa. Ésta, a su vez, orbita incluso más deprisa alrededor del núcleo de un conglomerado de galaxias. Finalmente, dicho conglomerado se aleja constantemente y a una extraordinaria velocidad de otros conjuntos galácticos.

¿Existe algo en el universo que permanezca inmóvil? Los científicos dicen que no.

EL SOL ES UNA MASA SÓLIDA

Se suele suponer que el sol está compuesto de materia sólida parecida a la de la Tierra, con la única diferencia de que la materia solar está a una temperatura tan elevada que arde y emite luz.

A decir verdad, el sol es hidrógeno en un 81 % y helio en el 18 %, con sólo un 1 % de elementos más pesados. Dado que tanto el hidrógeno como el helio son gases, el sol es en realidad una bola de gas, no una esfera sólida. Sin embargo, el astro rey es tan gigantesco que constituye nada más y nada menos que el 99,9 % de la masa de todo el sistema solar.

LA LUNA BRILLA

Cuando se dice que la luna brilla, se está cometiendo un error. La luna, que no tiene luz propia, no brilla, sino que simplemente refleja la luz del sol.

LAS ESTRELLAS FUGACES SON ESTRELLAS

Las estrellas fugaces no son estrellas, sino meteoros. Estas masas de materia son fragmentos desprendidos de otros cuerpos celestes del sistema solar que cuando penetran en el campo gravitatorio terrestre, se precipitan a tierra a asombrosas velocidades (entre 966 y 3.864 km/h). La enorme cantidad de fricción resultante del desplome de un meteoro a través de la atmósfera terrestre le confiere una luminosidad blanquecina como consecuencia del calor generado. Cuando esto ocurre, podemos verlos desde tierra en forma de estrellas fugaces.

Los fragmentos de meteoros que alcanzan la superficie terrestre se denominan «meteoritos», y dado que todos excepto los de mayor calibre arden antes de llegar a tierra, la inmensa mayoría de ellos apenas superan el tamaño de una partícula de polvo. No obstante, algunos son realmente grandes. El meteorito de mayor tamaño encontrado en nuestro planeta, concretamente en el sudoeste de África, en 1920, pesaba 59.800 kg.

Los científicos calculan que cientos de millones de meteoros, tanto los visibles como los invisibles al ojo humano, entran en la atmósfera de nuestro planeta cada veinticuatro horas. Aunque todos exceptuando unos pocos son simples máculas de polvo cuando llegan a la superficie terrestre y que nadie, hasta la fecha, ha muerto a causa de un impacto, lo cierto es que la amenaza para la vida humana está siempre presente. En septiembre de 1954, una mujer aseguró haber resultado herida por un impacto de meteorito en Sylacauga, Alabama, al igual, según parece, que una niña japonesa. El Field Museum of Natural History, en Chicago, contiene una exposición poco habitual: la techumbre de un garaje y un automóvil que en 1938, en Illinois, recibieron el impacto de un meteorito de 1,6 kg que los atravesó.

LOS PLANETAS SÓLO SON VISIBLES POR LA NOCHE

Si sabes adónde hay que mirar en el cielo, podrás ver a Venus a simple vista y a plena luz del día durante varias semanas al año. Ocasionalmente, una vez cada ochenta años, por la noche Venus es alrededor de doce veces más brillante que Sirius, la estrella más luminosa del firmamento en el hemisferio norte.

COMETAS Y METEOROS SON UNA MISMA COSA

Aunque a menudo se cree que cometas y meteoros son lo mismo, lo cierto es que son bastante diferentes. Un meteoro, como ya hemos visto, es un fragmento de materia que flota en el espacio y que cuando es atrapado por el impulso gravitatorio de la Tierra, penetra en la atmósfera a una velocidad colosal y se calienta hasta alcanzar temperaturas tan elevadas que le confieren una luminosidad blanquecina. Los vemos cruzando el cielo en forma de centelleantes y fugaces estelas de luz.

Los cometas, por su parte, son fragmentos helados de materia, principalmente polvo, pequeños fragmentos de roca y gases solidificados, que desarrollan «colas» al aproximarse al sol. A diferencia de los meteoros, los cometas no alcanzan temperaturas extremadamente altas; brillan porque sus minúsculas partículas reflejan la luz del sol. Otra diferencia reside en que cuando un cometa pasa cerca del sol, se expande hasta alcanzar un tamaño gigantesco de varias veces el de la Tierra. Esto es debido a que la radiación solar evapora los gases helados y las pequeñas partículas sólidas de su cabeza, dispersándolos. Aunque tanto los cometas como los meteoros giran alrededor del sol, aquéllos describen órbitas estables, ovaladas y de una más que increíble longitud, mientras que las de los meteoros son más pequeñas y tienden a cambiar.

Por otro lado, aunque su velocidad es extraordinaria, los cometas, a diferencia de los meteoros, aparecen a modo de puntos de luz inmóviles en el firmamento a causa de su lejanía. Por último, los cometas pueden viajar hasta distancias relativamente próximas a la Tierra pero sin entrar en su atmósfera ni impactar en su superficie. El cometa que se ha aproximado más a nuestro planeta fue el Lexell, que en 1770 pasó a 2.413.500 km de distancia de la Tierra.

TODOS LOS MESES TIENEN LUNA LLENA

Pues no. El período medio que media entre una luna llena y la siguiente es de 29,5 días y, dado que el mes de febrero es más corto que un ciclo lunar completo, nuestro satélite puede tener menos de cuatro fases. La fase ausente puede ser cualquiera de ellas, incluyendo la luna llena. En realidad, febrero tiene sólo tres fases alrededor de cada seis años.

CLIMA

LOS OSOS POLARES PREFIEREN EL FRÍO

Quienes visitan un zoo tienen la costumbre de decir que los días fríos son ideales para los osos polares, mientras que en los más calurosos suelen tener lástima de estas criaturas procedentes de las regiones más septentrionales de la Tierra. Pero según parece, se equivocan en ambos casos.

Los osos polares se aclimatan enseguida a las latitudes más cálidas y no sufren en lo más mínimo a causa de los rigores estivales. No sólo se encuentran en los zoos de Europa y América, sino que en realidad se cuentan entre los animales mejor adaptados de todos cuantos viven en cautividad. Innumerables osos polares han alcanzado edades muy respetables en el National Zoological Park en Washington D.C., una ciudad conocida por sus largos y calurosos veranos.

Durante la prolongada oscuridad y frío invernales en el Ártico, este animal desarrolla un espeso pelaje y una gruesa capa de grasa que lo protege del frío. Tanto el pelaje como la grasa disminuyen al aproximarse el verano. Por regla general, en nuestros zoos, los osos polares no desarrollan un pelaje y una capa de grasa tan gruesos. Así pues, cabe concluir que el clima frío no les satisface; apenas se meten en el agua entre octubre y febrero, y parecen dar la bienvenida al retorno de la primavera y la llegada del estío. Uno de los pasatiempos preferidos del oso polar es tumbarse con las cuatro patas extendidas y dormitar a pleno sol, algo que sería impensable para la mayoría de los animales de las regiones de clima temperado.

Un oso polar nacido y criado en un clima cálido sufre más con el frío que con el calor.

LOS OCÉANOS NUNCA SE HIELAN

Según se cree, los océanos no se hielan, pero no es verdad. Si hace el frío suficiente, el agua marina se congela. Sin embargo, a diferencia del agua potable, la del océano carece de un punto de congelación fijo, y la temperatura a la que se forma el hielo en el mar depende del contenido de sal del agua. Así, con un contenido salino de 35 partes por mil, el punto de congelación, en una media oceánica aproximada, es de –1,89 °C.

No se debe confundir el agua marina con los icebergs, enormes fragmentos de hielo desprendidos de glaciares en el hemisferio norte o de la placa de hielo antártica en el hemisferio sur. En consecuencia, los icebergs, a diferencia del agua de mar, que está formada por la congelación del agua en la superficie oceánica, son hielo terrestre de agua potable. El espesor del hielo marino casi nunca supera los 3 m, mientras que los icebergs pueden alcanzar centenares de metros.

No sólo existen grandes campos de hielo en las gélidas regiones polares, sino también «corrientes de nieve». En efecto, la nieve que cae en el agua a una temperatura próxima al punto de congelación o inferior, no se hunde, sino que flota en la superficie, formando auténticos lechos de varios metros de espesor que se acumulan y forman bancos de nieve.

LAS GOTAS DE LLUVIA SON ESFÉRICAS O TIENEN FORMA DE PERA

La imagen popular de una gota de lluvia es en forma de pera, con una base redondeada que se estrecha hasta formar un agudo vértice en su sección superior, o bien esférica. Ambos supuestos son inciertos.

La fotografía de alta velocidad de las gotas de lluvia aproximándose a tierra ha demostrado que tienen la forma de un capuchón de seta. En efecto, la base es plana y la sección superior redondeada, una forma que es el resultado de la resistencia del aire. Cuando la gota cae, la resistencia del aire ejerce una fuerza determinada en ella, aplastándola, y este aplastamiento en la base provoca un abultamiento superior hacia los lados.

LA MAYORÍA DE LAS VÍCTIMAS DE UN RAYO MUEREN INSTANTÁNEAMENTE

Todo lo contrario. La mayoría de la gente que ha recibido el impacto de un rayo se recupera por completo, y muchos más sobrevivirían si quienes están en las inmediaciones acudieran en su ayuda en lugar de dar por sentado que han muerto.

A menudo, la víctima deja de respirar, motivo por el cual conviene aplicar la respiración artificial lo antes posible. Cuando vuelve a respirar, debe recibir atención médica y tratamiento para las quemaduras. En ocasiones, el corazón deja de latir, pero la víctima puede revivir mediante un masaje cardíaco.

Otra razón por la que muchas víctimas de un rayo no reciben atención inmediata reside en la idea completamente equivocada de que una persona que ha recibido el impacto de un rayo retiene electricidad y puede provocar un calambre.

EL CLIMA FRÍO ES LETAL PARA LOS NARANJOS

Es muy habitual pensar que el frío destruye los naranjos. No es infrecuente leer en los periódicos noticias relacionadas con los graves daños sufridos por las cosechas de naranjas a causa de las heladas.

A decir verdad, las naranjas sobreviven mejor cuando el árbol está muy frío en invierno como consecuencia de ligeras heladas. Durante el período invernal, el naranjo está aletargado o semialetargado, y las temperaturas de congelación o de unos pocos grados por debajo de la misma no sólo no los perjudican, sino que los favorecen.

El problema con el clima frío se produce cuanto la temperatura desciende muy por debajo de la congelación o no acontece en invierno, cuando el árbol no está aletargado o semialetargado, sino en pleno crecimiento o floración. En ambos casos, se pueden utilizar braseros especiales para árboles frutales u otros mecanismos caloríficos para evitar los daños. Una congelación moderada en la estación correcta es muy bien recibida por quienes cultivan naranjos. En realidad, esta especie no sobrevive bajo un calor continuado.

De ahí que las naranjas que crecen en climas tropicales sean de menor tamaño y pierdan sabor en relación con las cultivadas en climas más fríos. Las temperaturas nocturnas frías parecen ser importantes en el desarrollo del típico color anaranjado brillante y la calidad del sabor. Los naranjos no son pues adictos al calor, como se suele suponer, sino que requieren una determinada cantidad de frío.

LA NIEVE ES LLUVIA HELADA

Existe la creencia general de que la nieve es lluvia helada, pero a decir verdad, los copos de nieve se forman directamente a partir del vapor de agua y sin pasar por un estado líquido.

La nieve se origina cuando el vapor de agua se condensa en microscópicas partículas que flotan en el aire, llamadas «núcleos», que en temperaturas de congelación o inferiores forman un diminuto cristal de hielo de alrededor de 0,025 cm de diámetro. Mientras siguen suspendidos en el aire, la condensación constante de más vapor de agua incrementa su tamaño.

En los climas fríos, estos cristales de nieve caen a tierra tal cual están, mientras que en las regiones más cálidas, se aglomeran y forman corpúsculos más grandes llamados «copos de nieve», cuyo tamaño puede superar los 2,54 cm de diámetro.

Si la temperatura cerca de la superficie terrestre está por encima de la congelación, a menudo los copos de nieve se funden antes de alcanzarla, transformándose en lluvia. Se calcula que la mitad de todas las precipitaciones en forma de lluvia que caen en la Tierra se deben a la fusión de copos de nieve a medida que se aproximan a su superficie. En realidad, las modernas técnicas de producción de lluvia consisten en la «fabricación» de cristales de nieve en la atmósfera, lo cual se consigue dispersando hielo seco. Los cristales y copos de nieve resultantes se funden al aproximarse a la superficie de la Tierra y empieza a llover.

LONDRES ES UNA CIUDAD HÚMEDA

Sin duda alguna, Londres debería de ser una ciudad húmeda. ¿Cómo si no podríamos explicar que los ingleses casi nunca salgan de su casa sin impermeable y paraguas? Si bien es cierto que su cielo está generalmente nublado y que suele llover durante la mitad de los días del año, en términos de índices anuales de pluviosidad, Londres no es especialmente húmeda.

Los índices anuales de pluviosidad londinenses son de 595 mm, mientras que las precipitaciones anuales medias en Nueva York son de 1.076 mm, y la pluviosidad anual mundial es de 1.016 mm. Así

pues, en cuanto se refiere a las precipitaciones anuales, Londres es un lugar bastante seco.

ISLANDIA ES UN PAÍS MUY FRÍO

Mucha gente supone que Islandia es un país frío a causa de su nombre y situación, justo al sur del círculo polar ártico. Pero lo cierto es que no es un país helado e inhóspito. La temperatura media en enero en Reykjavik, la capital, es de alrededor de –1,1 °C, lo que permite concluir que los inviernos no son mucho más fríos en Reykjavik que en la ciudad de Nueva York o en algunos países del este europeo, mientras que los veranos son más frescos y confortables.

¿Cómo es posible que un territorio situado tan al norte tenga un clima tan moderado? El Gulf Stream, una corriente oceánica cálida, contribuye a evitar el clima extremadamente frío, y los múltiples géiseres y manantiales de agua caliente que se pueden encontrar en toda Islandia mantienen la tierra bastante cálida incluso en invierno.

LA TIERRA: TIERRA Y MAR

LA CORTEZA DE LA TIERRA ES SÓLIDA

Curiosamente, el elemento más abundante en la corteza de nuestro planeta no es sólido, sino gaseoso. El oxígeno constituye casi el 47 % de la porción sólida y rocosa de la misma, además de aproximadamente el 89 % del peso de toda el agua terrestre. Sumando el contenido en oxígeno de las porciones de agua y de tierra de nuestro planeta, este elemento constituye alrededor del 50 % de la corteza terrestre. Estos compuestos son, sin duda alguna, sólidos y líquidos, pero el oxígeno en la naturaleza es un gas.

EL CIELO ES AZUL

El cielo no es azul; no tiene color. Su tonalidad azulada es el resultado de lo que le sucede a la luz del sol mientras viaja a través de la atmósfera.

La luz del sol es una combinación de todos los colores del arco iris. Cuando atraviesa la atmósfera, millones de pequeñas partículas suspendidas en el aire la dispersan. La luz azul, al tener una longitud de onda más corta, se dispersa más fácilmente que la roja y amarilla, cuya longitud de onda es más larga. El cielo está iluminado, por así decirlo, por la luz azul contenida en la luz solar.

El océano es azul por la misma razón. El azul del mar es el resultado de la dispersión de la luz del sol por diminutas partículas suspendidas en el agua. Por su parte, la presencia de vida vegetal microscópica le confiere una tonalidad verdosa, amarronada o incluso rojiza.

EL NOMBRE DE LAS ISLAS CANARIAS DERIVA DEL DE ESTAS AVES

Todas las variedades de canarios domésticos descienden del canario salvaje, nativo de Madeira, Azores y de las islas Canarias, y aunque fue bautizado con el nombre de éstas, lo cierto es que las islas Canarias deben su denominación a otro animal.

Los romanos las llamaron *Insulae Canariae*, que significa «islas de los perros», a causa de los abundantes caninos que allí vivían. Así pues, las islas Canarias no deben su nombre a las aves, sino a los perros.

AMÉRICA DEL NORTE ESTÁ EXACTAMENTE AL NORTE DE AMÉRICA DEL SUR

Basta echar una ojeada a cualquier mapa para comprobar que América del Norte no está situada exactamente al norte de América del Sur. En realidad, Alaska, el 85 % de Canadá, el 90 % de los 48 estados adyacentes, México y la totalidad de América Central, con la única excepción de Panamá, se hallan al oeste de América del Sur.

En consecuencia, la denominación de América del Norte y del Sur es errónea. Hubiera sido mucho más apropiado hablar de América del este y del oeste.

ÁFRICA ESTÁ AL SUR DE EUROPA

Las cuatro provincias más meridionales de España, concretamente Cádiz, Málaga, Granada y Almería, están situadas en realidad más al sur que algunas partes del norte de África.

LOS POLOS GEOGRÁFICO Y MAGNÉTICO SON LO MISMO

A decir verdad, los polos magnéticos se hallan a una considerable distancia de sus homólogos geográficos, aproximadamente a 11,5° de los mismos, es decir, el equivalente de varios cientos de kilómetros. Asimismo, los polos magnéticos no son fijos, sino que su posición varía ligeramente de año en año, desplazándose considerablemente a lo largo de dilatados períodos de tiempo.

Las evidencias geológicas indican que los polos magnéticos han estado situados en casi todas las partes del globo en algún momento de la historia. Por otro lado, también se sabe que se invierten completamente cada equis miles de años. Cuando esto ocurre, el norte magnético se convierte en el sur, y viceversa. Los científicos han calculado 171 inversiones magnéticas durante los últimos 76.000.000 de años.

Así pues, los polos geográfico y magnético distan mucho de ser lo mismo.

EL CANAL DE PANAMÁ DISCURRE DE ESTE A OESTE

El canal de Panamá no discurre de este a oeste, sino, como se puede comprobar en cualquier mapa, de nordeste a sudoeste.

Si miras de nuevo el mapa, verás que si bien es cierto que su recorrido es nordeste-sudoeste, la nación panameña sí lo hace de este a oeste. Sin embargo, dado que el istmo de Panamá se curva, Panamá es el único lugar de la Tierra donde se puede ir al este hacia el océano Pacífico y al oeste hacia el océano Atlántico. En efecto, un brazo del océano Pacífico se extiende hacia el este de una parte de la costa caribeña, que forma parte del océano Atlántico. Esto significa que en este país, el sol sale en el Pacífico y se pone en el Atlántico.

LA LÍNEA RECTA ES LA DISTANCIA MÁS CORTA ENTRE DOS PUNTOS

Una línea recta tal vez sea la distancia más corta entre dos puntos en geometría, pero no necesariamente en los viajes. La distancia más corta entre Nueva York y Londres, por ejemplo, es por la ruta del gran círculo polar, que sigue la curvatura de la Tierra. Visto desde arriba, la línea de esta ruta parece realmente recta, pero vista de lado, es curva, pues sigue la forma de la Tierra.

En teoría, si fuera posible viajar a través del planeta, se podría trazar una línea recta entre Londres y Nueva York, pero a efectos prácticos, la distancia más corta entre puntos muy distantes de la Tierra es realmente una línea curva.

LOS VOLCANES SON ERUPCIONES DE MATERIAL FUNDIDO PROCEDENTE DEL INTERIOR DE LA TIERRA

La Tierra se suele representar con una corteza fina, aunque sólida, reposando sobre un interior en fusión, y los volcanes se consideran erupciones de material fundido que explosiona y sale a la superficie a través de la corteza terrestre.

Pero hoy en día, los geólogos saben, a partir del estudio de los terremotos, que nuestro planeta es sólido hasta una profundidad de

2.880 km. Por debajo de este nivel, según se cree, la Tierra es material fundido. Sin embargo, no existe la menor posibilidad de que este material sea capaz de desplazarse a través de una barrera sólida de 2.880 km para alcanzar la superficie.

Éstas y otras observaciones han llevado a los geólogos a concluir que los depósitos de material fundido que expulsan los volcanes tienen un área reducida y están situados cerca de la superficie. Por término medio, las pequeñas bolsas de material fundido proceden de profundidades no superiores a 32 km.

Tampoco es cierto que la erupción de los volcanes desde profundidades próximas a la superficie terrestre sea un fenómeno reciente. A lo largo de todas las eras geológicas conocidas (alrededor de 3.000.000.000 años), la estructura del planeta ha permanecido inmutable. El material fundido que expulsan los volcanes siempre ha procedido de cavidades de material fundido situadas cerca de la superficie terrestre y no de su núcleo.

LOS DESIERTOS SON EMINENTEMENTE DE ARENA

Se suele pensar en los desiertos como en una vasta extensión uniforme de arena que forma dunas por la acción constante del viento, pero esta idea es incorrecta.

El desierto de arena más grande del mundo es el Rub al-Khali, situado en la península de Arabia. No obstante, el Rub al-Khali sólo es un tercio de la superficie total del desierto de Arabia. Los dos tercios restantes son planicies de rocas áridas y agrietadas por el sol. Otro desierto de gran tamaño es el desierto de Gobi, en el Lejano Oriente. Exceptuando algunas dunas arenosas en el sudoeste, el desierto de Gobi es un altiplano cubierto de pequeños guijarros erosionados por el viento. Por su parte, el desierto más grande del mundo, el Sahara, sólo es arena en un 20 %. La superficie restante es roca, planicies rocosas y llanuras cubiertas de grava.

Por otro lado, las dunas no se encuentran única y exclusivamente en las áreas desérticas, sino que en realidad se pueden formar en cualquier lugar en el que haya una cantidad suficiente de arena suelta, viento que la desplace y un obstáculo que detenga su avance. En este sentido, se pueden encontrar desiertos arenosos en miniatura incluso en áreas forestales húmedas.

Para el geógrafo y el geólogo, los desiertos son mucho más rocosos que arenosos.

LOS ESPEJISMOS SÓLO SE PRODUCEN EN LUGARES CÁLIDOS

Los espejismos se suelen asociar a unas condiciones de calor extremo. Lo primero que se nos viene a la mente al pensar en un espejismo es el charco en constante retirada en el asfalto caliente de una autopista o el oasis inalcanzable en el desierto. En realidad, los espejismos son tan comunes en condiciones de calor como de frío. Los espejismos asociados al Ártico, por ejemplo, son más extensos y duraderos que los que se relacionan con el desierto.

Los espejismos árticos se diferencian de sus homólogos desérticos en que reflejan algo que realmente existe, aunque no en el lugar en el que está situado. De este modo, el viajero en el desierto

puede distinguir un lago aunque en realidad no está allí, mientras que en el Ártico puede ver una masa de tierra firme que existe, pero no en aquel lugar.

En cualquier caso, ya sea real o imaginario su origen, todos los espejismos se pueden fotografiar. La lente de la cámara reacciona ante un espejismo tal y como lo hace el ojo humano.

EUROPA Y ASIA SON DOS CONTINENTES DIFERENTES

Quien más quien menos suele considerar a Europa y Asia como dos continentes distintos, cuando lo cierto es que no son sino vastas divisiones geográficas de una masa de tierra más grande: Eurasia. No existe ni nunca ha existido una clara delimitación geográfica entre ellos, y su separación ha sido simplemente una cuestión de trazar una línea arbitraria y llamar a una parte Europa y a la otra Asia, sobre una base única y exclusivamente tradicional o de costumbre.

No existe estrechamiento del terreno alguno entre Asia y Europa que pudiera servir a modo de clara división geográfica, indicando dónde termina uno y dónde empieza el otro, tal y como ocurre entre América del Norte y América del Sur (istmo de Panamá) o entre África y Eurasia (istmo de Suez).

CAVA UN HOYO MUY PROFUNDO EN ESTADOS UNIDOS Y LLEGARÁS A CHINA

Dos puntos geográficos opuestos en la Tierra que se puedan unir con una línea recta pasando por el centro del planeta se denominan «antípodas».

Mucha gente cree que China es las antípodas de Estados Unidos, de manera que si se pudiera cavar un hoyo lo bastante profundo en Estados Unidos que pasara el centro de la Tierra, asomaríamos de nuevo a la superficie en China. Pero no es así. En realidad, China y Estados Unidos se hallan en el hemisferio norte. Las verdaderas antípodas de Estados Unidos están situadas en una región del océano Índico, al oeste de Australia y al este de Sudáfrica.

Las antípodas aproximadas de Londres se hallan precisamente en las islas Antípodas, un conjunto de islas rocosas y deshabitadas en el Pacífico Sur, a 750 km de Nueva Zelanda.

LA LUZ DEL SOL LLEGA A TODAS LAS PARTES DEL MUNDO

La superficie total de la Tierra es de 510.000.000 km^2, de los cuales 153.000.000 km^2 son tierra firme. Esto significa que el 71% de la superficie terrestre es agua. Teniendo en cuenta que la profundidad media del agua es de 5 km, más de la mitad de la superficie de nuestro planeta está cubierta de agua tan profunda que la luz solar no puede penetrar hasta el fondo. En consecuencia, más de la mitad de la corteza terrestre no recibe jamás la luz del sol y se halla en un estado de oscuridad permanente.

EN TODO EL ECUADOR HACE CALOR

Pues no, o por lo menos no en las altas montañas situadas en esta zona. El monte Kenya, en África, se halla justo al sur del ecuador, tie-

ne 5.194 m de altura y varios glaciares en sus secciones superiores. Asimismo, el monte Chimborazo, próximo a la línea del ecuador, en los Andes de Ecuador, está cubierto por nieves permanentes.

LAS ARENAS MOVEDIZAS SUCCIONAN A QUIEN CAE EN ELLAS

Las arenas movedizas no succionan a la víctima, tirando de ella hacia el fondo. Quedar atrapado en una trampa de arenas movedizas no supone la muerte automática.

En realidad, las arenas movedizas, que son una mezcla de arena y agua, tienen un índice de flotación el doble que el del agua. Cierto es, por supuesto, que quienquiera que caiga en arenas movedizas y, en un ataque de histerismo, se remueva incesantemente en ellas intentando escapar, sólo conseguirá que su cuerpo se hunda cada vez más. Sin embargo, por principio, las arenas movedizas no succionan; es la víctima la que debe encargarse de sobrenadar.

Según aconsejan los expertos, si te caes en una trampa arenosa de este tipo, no pierdas la calma y túmbate de espalda, dejando que su capacidad de flotación te sustente. Luego, lentamente, desplázate hasta tierra firme dando vueltas.

LOS TERREMOTOS SE TRAGAN A LA GENTE

Durante un terremoto es más que improbable que la tierra se abra, las víctimas se precipiten en su interior y luego vuelva a cerrarse. Según obra en los registros históricos, esto sólo se ha producido en una ocasión. En 1948, durante un terremoto en Fukui, Japón, una mujer cayó en una grieta abierta en la tierra, que volvió a cerrarse rápidamente hasta la altura del mentón. Murió instantáneamente. Asimismo, en 1906, con ocasión del terremoto de San Francisco, una vaca murió de la misma forma.

La mayoría de las víctimas que se producen durante e inmediatamente después de los terremotos perecen a causa del derrumbamiento de edificios. En el gran seísmo de Shensi, en 1556, alrededor de 830.000 chinos murieron al desplomarse las casas en las que vivían.

EN ESTADOS UNIDOS LOS TERREMOTOS ESTÁN LIMITADOS AL OESTE

En realidad, Nueva Inglaterra ocupa el segundo lugar, después de California, en número de terremotos. Aunque son pequeños y no han causado víctimas desde la década de 1600, cuando los Pilgrims empezaron a registrar documentalmente los sucesos históricos, Nueva Inglaterra presenta una media de cuatro a seis terremotos cada mes. El más desastroso acontecido en la región fue el de 1775, que destruyó una buena parte de Portsmouth, N.H., derribando la veleta del famoso Faneuil Hall de Boston. Hasta la fecha, los geólogos no han podido explicar por qué Nueva Inglaterra es tan propensa a la actividad sísmica, pues la zona no está situada a lo largo de ninguna línea de falla ni en las proximidades de placas tectónicas.

EL MONTE EVEREST ES LA MONTAÑA MÁS ALTA DEL MUNDO

Sí y no, todo depende de cómo se mida la altura. El monte Everest, en la cordillera del Himalaya, que se eleva a 8.848 m sobre el nivel del mar, está considerado como la montaña más alta del mundo. Ninguna otra montaña supera esa cota sobre el nivel del mar. Sin embargo, medir la altura desde el nivel del mar es sólo una forma de hacerlo.

Otra igualmente válida consiste en medirla sobre la base de la distancia desde el centro de la Tierra. De emplear este método, el monte Chimborazo, de Ecuador, en la cordillera de los Andes, que se eleva «sólo» hasta 6.227 m sobre el nivel del mar, sería la más alta.

El Chimborazo está situado a alrededor de dos grados del ecuador, mientras que el Everest se halla más al norte de la línea, y dado que la Tierra no es perfectamente esférica, sino que está achatada por los polos y sobresale en el ecuador, el monte Chimborazo, con este método de medida, es casi 3,2 km más alto que el Everest.

LA CORDILLERA DEL HIMALAYA ES LA MÁS GRANDE DEL MUNDO

En su mayor parte, la cadena montañosa más grande del mundo no es visible en la actualidad. Descubierta en el siglo XX, está situada bajo el océano Atlántico, entre América del Norte y Europa, y se denomina Cresta Medioatlántica.

La gigantesca formación submarina se extiende en dirección norte-sur desde Islandia hasta casi el círculo polar ártico, una distancia de más de 16.090 km, mientras que la cordillera del Himalaya apenas tiene 2.574 km de longitud.

El agua en esta parte del Atlántico alcanza tal profundidad que la mayoría de estas colosales montañas permanecen ocultas bajo la superficie, aunque algunas de sus cumbres emergen en la superficie, formando islas tales como Azores, Ascensión, St. Paul y Sta. Helena.

LAS REGIONES POLARES SON MUY SIMILARES

La mayoría de la gente tiene sólo una vaga idea de cómo son las regiones polares, y creen que el Ártico (norte) y la Antártida (sur) son prácticamente iguales. Sin embargo, las diferencias entre ambos son innumerables.

La temperatura media en la Antártida a una latitud determinada es aproximadamente 11 °C más fría que la de la misma latitud en el Ártico. La Antártida es, con mucho, la región más fría de la Tierra

(una de las principales razones es que consiste en una masa de tierra montañosa). La Antártida está situada a una media de 4.267 m sobre el nivel del mar, mientras que en comparación, la mayor parte del Ártico se halla a nivel del mar o próximo al mismo.

En cuanto a los veranos, la temperatura en la Antártida apenas supera la de congelación, mientras que en el Ártico, aunque son breves, puede hacer el mismo calor que en Nueva York.

Casi el 95% del hielo perpetuo del mundo está en la Antártida, cuyo espesor medio en la masa continental es de 2.438 m, mientras que el grosor de la capa de hielo en el polo norte se sitúa entre 2,7 y 3 m, si bien es cierto que en algunas zonas puede alcanzar los 19,8 m.

La vida es mucho más abundante en el Ártico que en la Antártida. En efecto, en el Ártico hay vastos rebaños de caribús y renos, además de osos polares, focas, morsas y diferentes especies de aves e insectos, y aunque la vida vegetal no es tan variada cono en otras regiones más meridionales, en el Ártico se pueden encontrar hasta 1.500 tipos diferentes de plantas. En cambio, la Antártida tiene poco más que pingüinos, focas, ballenas, unas cuantas especies de insectos y algunos líquenes y musgos.

Y, por último, la prueba final de que el Ártico es un lugar más habitable que la Antártida reside en la presencia de la vida humana: esquimales, lapones y otros pueblos. Exceptuando los exploradores y los científicos, ningún ser humano vive o ha vivido en la Antártida.

LA VIDA MARINA ES MÁS ABUNDANTE EN LAS AGUAS CÁLIDAS

Parece perfectamente razonable suponer que la vida marina es más abundante en las aguas cálidas que en las frías, Después de todo, la vida en la tierra es más nutrida en los climas cálidos que en los fríos. ¿No debería suceder lo mismo en la vida marina? La respuesta, por asombroso que parezca, es la inversa. La vida marina de todas clases, tanto animal como vegetal, abunda más en las aguas frías que en las cálidas.

El agua fría propicia más y mejor la vida, pues contiene más gases disueltos, especialmente oxígeno y dióxido de carbono. El oxígeno es vital para la vida animal, mientras que el dióxido de carbono es necesario para que las plantas marinas puedan realizar la fotosíntesis.

Las aguas antárticas, sobre todo la corriente conocida como Convergencia Antártica, es un buen ejemplo de cuerpo de agua fría rebosante de vida marina vegetal y animal. En efecto, la Convergencia Atlántica está tan saturada de plancton y pequeños animales, tales como el *krill* (diminutos camarones), que se la ha bautizado como «sopa». La sopa fomenta la vida de una extraordinaria cadena de vida, incluyendo peces, ballenas, tiburones y focas. Las aguas de la Convergencia Antártica contienen la vida animal más rica de nuestro planeta.

TODO TIPO DE VIDA ESTÁ SUJETO A LA MUERTE AL ENVEJECER

Las bacterias y otros organismos unicelulares no mueren de «senilidad». Una vez cumplidos sus objetivos de crecimiento, continúan creciendo y multiplicándose, y se dividen sin cesar. La muerte a causa del envejecimiento sólo es inevitable entre los organismos pluricelulares superiores; los unicelulares permanecen invariablemente jóvenes. A las bacterias y otros organismos unicelulares se les puede matar de formas muy diversas, pero una cosa es segura, no mueren por envejecimiento al igual que las formas superiores de vida.

AL ESCUCHAR EN UNA CONCHA, SE PUEDE OÍR EL MURMULLO DEL MAR

Si te acercas una concha al oído, el ruido que oyes es una combinación de sonidos ordinarios procedentes del exterior de la misma, del entorno que te rodea. Dada la peculiar forma de las conchas y la suavidad de su interior, el sonido externo se repite, eco a eco, a medida que vibra que el aire en su interior. Los ecos se funden y producen el característico sonido de murmullo que sueles oír. Entre los sonidos que capta y amplifica figura el del paso de la sangre a través del oído.

LAS BACTERIAS SON DAÑINAS

Según se cree, las bacterias son perjudiciales porque causan enfermedades. Sin embargo, no todas lo son.

La mayoría de las bacterias no sólo no son dañinas, sino que muchas de ellas son útiles, si no esenciales. A decir verdad, sin ciertas bacterias en el tracto digestivo, por ejemplo, sería imposible digerir los alimentos. Las bacterias también son vínculos vitales en el reciclado de seres vivos que han muerto, pues descomponen la materia orgánica para que puedan utilizarla otras criaturas vivientes.

Asimismo, las bacterias también son importantes desde una vertiente económica. En efecto, las bacterias fijadoras de nitrógeno transforman el nitrógeno presente en el aire en otra forma del mismo que puede ser utilizado por las legumbres, tales como los guisantes, alfalfa, cacahuetes, etc. Aunque algunas bacterias pueden ser responsables de la descomposición de los alimentos, otras son fundamentales en la elaboración del yogur, mantequilla, queso, vinagre y otros alimentos. La acción bacteriana es especialmente importante hoy en día, pues se utiliza en la elaboración de determinados tipos de alcohol destinados a carburantes para automóvil.

Así pues, debemos concluir que no todas las bacterias son dañinas, al igual que no todas las serpientes son venenosas.

LAS BACTERIAS NO SE REPRODUCEN SEXUALMENTE

Aunque en general las bacterias se reproducen por simple división celular, algunas realmente se aparean mediante un método parecido al de la reproducción sexual. Este proceso se llama «conjugación». Dos bacterias se tocan y luego, a través de un orificio en el tabique celular, se produce una transferencia de material genético de una a otra. La bacteria masculina se conoce como «donante», y la femenina como «receptora». Ésta es pues una de las formas de intercambio de material genético en las bacterias.

Los investigadores han descubierto que la bacteria hembra de la especie *Streptococcus faecalis*, un habitante habitual en el intestino humano, puede indicar a los machos potenciales que está preparada para conjugar, segregando una sustancia que los atrae y hace que se reúnan masivamente a su alrededor.

PLANTAS

LAS BANANAS CRECEN EN ÁRBOLES

Si por árbol se entiende una planta de tronco leñoso que sobrevive de una estación a la siguiente, entonces el árbol de las bananas, o bananero, no existe. En realidad, la banana crece en un tallo, y aunque la planta puede alcanzar los 9 m de altura y guarda un gran parecido con los árboles en tamaño y forma, carece de tronco leñoso. El tallo está formado por los extremos más bajos de las hojas, que se traspalan y se entrelazan muy estrechamente.

El bananero sólo da fruto en una estación. Luego, la porción que sobresale del suelo muere, dejando una raíz subterránea que se desarrolla y se transforma en un nuevo bananero en la estación siguiente.

EL CACAHUETE ES UN FRUTO SECO

El cacahuete no es un fruto seco. La mayoría de los frutos secos crecen en árboles, pero el cacahuete es una legumbre, un miembro de la familia de los guisantes que crece bajo tierra.

LOS ÁRBOLES SE NUTREN PRINCIPALMENTE A TRAVÉS DE SUS RAÍCES

Pues no exactamente. Las raíces son necesarias para el árbol, pues lo anclan en la tierra, y también porque a través de ellas absorben la humedad y los minerales del suelo. Sin embargo, las hojas desempeñan un papel más importante si cabe en su nutrición. En efecto, utilizando la clorofila, es decir, la sustancia que les confiere la típica coloración verde, son capaces de transformar el dióxido de carbono y el agua en alimento en presencia de luz solar. Este proceso se denomina «fotosíntesis». Es, pues, en las hojas y no en las raíces donde se produce la elaboración de sustancias nutritivas para el crecimiento de los árboles.

LOS ÁRBOLES SÓLO TIENEN UN TIPO DE HOJA

En el caso de los sasafrás no. Este árbol, un miembro de la familia del laurel muy común en América del Norte, tiene hojas de tres formas claramente diferentes. Una es ovalada y sin lóbulo; otra tiene la forma de un mitón con un «pulgar» en un lado; y la tercera es trilobulada, con «pulgares» en ambos lados. Los tres tipos de hoja se pueden encontrar en un mismo árbol, e incluso en una misma rama.

Asimismo, las hojas de las moreras también presentan distintas formas.

LOS ÁRBOLES CRECEN POR ALARGAMIENTO DEL TRONCO

La mayoría de la gente, si se le pregunta, da por sentado que los árboles crecen de un modo muy similar al de los seres vivos: el tronco se estira hacia arriba. Pero esto no es lo que ocurre realmente.

A decir verdad, los árboles crecen en altura como resultado de la división celular y del alargamiento que se produce única y exclusivamente en la sección superior del tronco. En consecuencia, el árbol gana altura a causa del crecimiento de nueva madera en su sección superior. Por su parte, su grosor aumenta porque las células en la corteza exterior del tronco también se dividen y crecen en número, añadiendo nuevas capas. Podríamos, pues, decir que el árbol crece como resultado de la acumulación gradual de madera, capa sobre capa, extendiéndose hacia fuera y hacia arriba. Esta pauta de crecimiento es la razón por la cual las ramas no se elevan a medida que el árbol se estira, y explica la causa por la que dos clavos introducidos en la corteza de un árbol, uno junto al otro, no se separan con los años a medida que se incrementa su circunferencia.

Las ramas y los tallos de los árboles crecen de la misma forma.

LAS SECUOYAS SON LOS ÁRBOLES MÁS ANTIGUOS

Las gigantescas secuoyas de California alcanzan edades asombrosas, de miles de años, pero no son los árboles más antiguos. El «General Sherman», el nombre con el que se ha bautizado a una inmensa secuoya en el Sequoia National Park, en California, es el ser vivo más grande del mundo. Mide 83 m de altura y 11 m de diámetro en la sección más gruesa del tronco. No obstante, apenas tiene 3.500 años.

Un árbol muchísimo menos espectacular en altura y grosor, el *Pinus longaeva* (*bristlecone pine*) alcanza a menudo esta edad e incluso la supera. Esta especie se suele encontrar en altitudes superiores a 3.048 m, en el oeste de América del Norte, donde los ejemplares de 4.000 años de edad no son infrecuentes. El espécimen más antiguo que se conoce, de 4.600 años y bautizado, muy acertadamente, con el nombre de «Matusalén» se descubrió en White Mountains, en California. La esperanza de vida potencial de un *Pinus longaeva* se estima en 6.000 años. Comparado con él, las gigantescas secuoyas son meros bebés.

LOS INCENDIOS FORESTALES SON DAÑINOS PARA TODOS LOS ÁRBOLES

Aunque parezca increíble, algunos árboles necesitan incendios forestales para sobrevivir. Éste es el caso del *Pinaceae pinus banksiana* (*jack pine*), cuyos frutos se abren y liberan las semillas bajo la exposición a un intenso calor. De este modo, la naturaleza asegura que esta especie se regenere después de un incendio.

EL ÁGAVE AMERICANO SÓLO FLORECE CADA CIEN AÑOS

El nombre inglés del ágave americano (*century plant*, «planta del siglo») es a todas luces engañoso, pues no es cierto que florezca sólo cada cien años. En realidad, ningún ejemplar de esta especie sobrevive durante este período de tiempo.

La planta tardará más o menos en florecer dependiendo de cada ejemplar y de las condiciones en las que se desarrolla. En los climas más cálidos, puede hacerlo cada cinco o diez años, mientras que en los más fríos, sobre todo en Estados Unidos, suele tardar un poco más, entre veinte y treinta años. La planta puede crecer durante aproximadamente 60 años, como máximo, antes de florecer.

EL PAPEL DE ARROZ SE ELABORA CON ARROZ

El papel de arroz no deriva de esta leguminosa, sino de la médula, o tejido fibroso en el interior del tronco, de un árbol de pequeño tamaño, la *Aralia (Fatsia) papyrifera*, que crece en muchas partes de Taiwán y tiene una altura de 3 a 4,6 m. Los japoneses lo llaman *tsuso*, y los chinos *tung tsao*.

LAS ORQUÍDEAS SON FLORES RARAS

Las orquídeas pueden ser caras, pero desde luego no son raras. Por el contrario, la familia de las orquídeas está considerada por los botánicos como la más extensa del mundo. Dado que constantemente se descubren nuevas especies, es difícil determinar con exactitud su número. Los expertos estiman que existen entre 15.000 y 35.000 especies de orquídeas y de 400 a 800 géneros. Además de las orquídeas naturales, hay miles de híbridos artificiales.

Asimismo, las orquídeas tampoco están confinadas a regiones concretas, como también se suele creer. Mientras que la mayoría de ellas viven en las regiones tropicales y subtropicales, lo cierto es que crecen en buena parte del planeta, desde el círculo polar ártico hasta los trópicos, y desde el nivel del mar hasta altitudes superiores a 3.048 m. El único lugar en el que son escasas es en el desierto.

LA HIEDRA VENENOSA ES UNA HIEDRA, Y EL ROBLE VENENOSO ES UN ROBLE

La hiedra venenosa, o *Rhus radicans*, es una planta trepadora originaria de América del Norte que provoca una picazón irritante y dolorosa en la piel. Sin embargo, a pesar de su nombre, no es un miembro de la familia de las hiedras, sino de la de los anacardos.

Por su parte, el roble venenoso, otra planta estrechamente relacionada con la hiedra venenosa y que produce unos resultados igualmente desagradables, tampoco es un roble, sino también miembro de la familia de los anacardos.

METALES, MINERALES Y GEMAS

LAS PERLAS SE ENCUENTRAN EN LAS OSTRAS APTAS PARA EL CONSUMO

Muy optimista tendrá que ser aquel que entra en un restaurante sin dinero y pide un plato de ostras con la intención de pagar el ágape con la perla que esperaba encontrar. Sin duda alguna, el pobre diablo acabará pagando la cena... ¡fregando los platos!

Aunque es posible encontrar una perla muy de vez en cuando en una ostra de América del Norte apta para el consumo, en realidad no tienen valor alguno como gemas. Las perlas con calidad de gemas sólo se encuentran en un porcentaje bastante escaso de ostras que viven en las aguas tropicales, especialmente en la región del golfo Pérsico.

EL PLOMO ES EL METAL MÁS PESADO

Ni mucho menos. Otros doce metales son más pesados que el plomo. Son los siguientes: oro, iridio, mercurio, osmio, paladio, platino, rodio, rutenio, tantalio, talio, tungsteno y uranio.

LOS LÁPICES CONTIENEN PLOMO

Los lápices modernos no contienen plomo. La parte destinada a la escritura, o mina, se fabrica con grafito, una forma de carbón fina y cristalizada, mezclado con arcilla para conferirle dureza. A mayor cantidad de arcilla, más duro es el lápiz.

LAS LATAS DE CONSERVA SON DE ESTAÑO

En realidad, las latas de conserva son de acero con una ínfima cantidad de estaño. El estaño es demasiado caro como para ser utilizado en la fabricación de latas, que se usan y se tiran. Concretamente, se fabrican con plancha de acero enrollada, que luego se reviste con una finísima capa de estaño.

TODAS LAS GEMAS SON MINERALES

Por lo menos hay cuatro gemas que no son minerales: la perla, el coral, el ámbar y el azabache. Las perlas se forman en el interior de algunas ostras y otras conchas marinas cuando el molusco segrega una sustancia que se endurece, capa tras capa, alrededor de un objeto irritante, como por ejemplo un granito de arena, que se ha incrustado en su suave tejido. El coral es el esqueleto duro de pequeñas criaturas marinas llamadas pólipos. El ámbar es el residuo endurecido de savia de pinos y otros árboles de hoja perenne prehistóricos. Y el azabache

es una forma de lignito de color negro, una sustancia parecida al carbón.

EL DIAMANTE ES LA GEMA MÁS VALIOSA

No es cierto. Quilate por quilate, el rubí es más valioso que el diamante.

EL DIAMANTE ES VALIOSO A CAUSA DE SU ESCASEZ

El diamante no es una gema escasa. Se extrae en muchos países africanos, en otras partes del mundo y también en el fondo marino. A decir verdad, el diamante es la más común de todas las gemas, pero es un mineral caro y apreciado por dos razones: su belleza y la dificultad que supone tallarlo y pulirlo a causa de su dureza.

EL DIAMANTE ES LA GEMA MÁS RESISTENTE

El diamante es la sustancia natural más dura entre todas las conocidas, pero no es especialmente resistente. La gema más resistente es el jade, cuyas fibras estrechamente entrelazadas lo mantienen intacto aun en el caso de golpearlo repetidamente con un martillo. Por otro lado, el diamante es un cristal único que si se golpea en el punto apropiado, se parte.

Dada la estructura entrelazada del jade, se puede tallar en delicadas formas sin riesgo de fractura.

«LOS DIAMANTES SON PARA TODA LA VIDA»

Aunque el diamante es la sustancia más dura que se conoce, no es indestructible. En otros tiempos tenían fama de irrompibles y eran sometidos a pruebas de martillo, a menudo con tristes resultados. Como sabemos hoy en día, se pueden partir con un solo golpe en el punto apropiado.

Asimismo, los diamantes también arden. Dependiendo de su dureza, un diamante empezará a arder a una temperatura de entre 760

y 875 °C. En el gran incendio de San Francisco, en 1906, se quemaron miles de diamantes. Se estima que, en aquella ocasión, el fuego alcanzó temperaturas de hasta 1.200 °C.

La razón por la que los diamantes arden es que están compuestos de carbón puro, el mismo elemento que se encuentra en el petróleo. En realidad, el diamante es la única gema que contiene un solo elemento; todas las demás son compuestos de dos o más elementos.

Cuarta parte

Seres vivos

MAMÍFEROS

LOS MAMÍFEROS APARECIERON TRAS LA EXTINCIÓN DE LOS DINOSAURIOS

Contrariamente a lo que mucha gente cree, no es verdad que los mamíferos aparecieran tras la extinción de los dinosaurios hace alrededor de 70.000.000 de años. Los mamíferos y dinosaurios vivieron juntos durante un larguísimo período de tiempo geológico.

Los primitivos mamíferos se detectaron por primera vez en los fósiles del Jurásico, hace aproximadamente 165.000.000 de años. El *Stegosaurus*, *Allosaurus*, *Brontosaurus* y otras especies también aparecieron durante este período. En consecuencia, mamíferos y dinosaurios vivieron juntos durante más de 95.000.000 de años. Desde luego, aquellos primeros mamíferos debían de parecer minúsculos

mientras corrían entre las patas de los gigantescos dinosaurios, pero estaban allí.

TODOS LOS ANIMALES ANDAN EN BUSCA DE SAL

No. Todos los animales pierden una determinada cantidad de sal cada día y deben remplazarla para estar sanos. Sin embargo, algunas dietas proporcionan más sal que otras. Los animales que se alimentan exclusivamente de plantas (ganado vacuno, ganado ovino, caballos, antílopes, etc.) andan en busca de sal, ya que no obtienen la suficiente de su dieta normal, mientras que los carnívoros (animales que se alimentan de carne) y omnívoros (animales que alimentan tanto de carne como de plantas), incluyendo el hombre, no tienen esta necesidad de buscar un suplemento de sal para equilibrar su dieta, pues obtienen toda la que precisan de la sangre y la carne de los animales que comen.

TODOS LOS ANIMALES DUERMEN TUMBADOS

A los humanos les basta tumbarse para dormir bien, pero a muchos animales no. El caballo es uno de ellos; duerme mucho mejor de pie que tumbado. No es infrecuente que estos animales pasen meses enteros sin tumbarse, aunque cuando viven en manadas, tanto los caballos como el ganado vacuno, se tumban de vez en cuando, con las patas estiradas, y dormitan durante varios minutos.

El caballo se puede relajar y dormir de pie porque las articulaciones de las patas se cierran automáticamente para soportar al animal. Es como si estuviera subido a unos zancos.

Los elefantes, cebras, antílopes y muchos otros hervíboros también pueden dormir de pie.

NINGÚN ANIMAL ES CAPAZ DE VER LO QUE SUCEDE A SUS ESPALDAS MIENTRAS MIRA AL FRENTE

Los cazadores que se aproximan a los conejos por detrás y ven cómo éstos echan a correr, saben perfectamente que esto no es así. Los ojos de los conejos están situados en los lados de la cabeza y sobresalen ligeramente, lo que les permite ver en un círculo completo (también hacia arriba) sin necesidad de mover la cabeza.

Los antílopes, ciervos y otros animales que deben permanecer en constante alerta para evitar la amenaza de los depredadores también tienen este tipo de visión.

EL TAMAÑO DE LAS CRÍAS DEPENDE DEL DE SUS PADRES

No necesariamente. A menudo, el tamaño y la condición de un animal al nacer depende más del lugar en el que ha nacido y de las circunstancias de su infancia que del tamaño que alcanzarán de adultos. Las crías de muchas especies de ciervos y antílopes son grandes en relación con el tamaño de sus padres, y bastante fuertes y capaces de tenerse en pie y caminar muy pronto después del parto. ¿Por qué? En muchos casos, estos animales tienen que desplazarse con la manada casi inmediatamente después de nacer y deben confiar en la velocidad para evitar ser presa de sus depredadores, que con frecuencia buscan a los ejemplares más jóvenes cuando atacan una manada.

Por otro lado, los osos negros de América del Norte son bastante pequeños cuando nacen. Los adultos suelen pesar entre 91 y 136 kg, e incluso se han encontrado individuos de hasta 272 kg. Sin embargo, el osezno, que nace ciego, sin dentición e incapaz de subsistir por sí solo en invierno en su cubil, apenas pesa 0,23 kg y mide 20,3 cm de longitud. En realidad, el oso se puede permitir el lujo de venir al mundo tan débil e incapaz de valerse por sí mismo porque está al cuidado de su madre durante por lo menos el primer año de vida. A diferencia de las crías de ciervo y antílope, no tiene que afrontar ningún problema inmediatamente después de nacer.

Los bebés de muchos marsupiales (animales que disponen de bolsas en las que transportan y alimentan a las crías) son mucho más pequeños de lo que se podría imaginar. Así, por ejemplo, los canguros miden 2,5 cm de longitud; los opossums tienen el tamaño de un abejorro y pesan 1,9 g.

TODOS LOS ANIMALES BEBEN

No. Todos los animales necesitan agua, pero eso no quiere decir que tengan que beberla. El canguro rata, que habita en las regiones desérticas del sudoeste de Estados Unidos, es capaz de sobrevivir sin agua, pues obtiene la humedad que necesita de las plantas de las que se alimenta. Otros animales necesitan beber agua muy de vez en cuando. Las jirafas, sin ir más lejos, pueden pasar semanas sin ingerir agua, y al igual que los canguros rata, también obtienen humedad suficiente de las hojas que consumen. Por su parte, la mayoría de las ovejas y gacelas beben en contadísimas

ocasiones, y algunas especies de reptiles se aprovisionan de agua a través de los poros de la piel.

LAS CRÍAS DE LOS ANIMALES SIEMPRE SON UNA MEZCLA DE MACHO Y HEMBRA

Si bien es cierto que, en general, las crías de los animales contienen miembros de ambos sexos, existe como mínimo una excepción. El armadillo da a luz a cuatro crías de un mismo sexo, todas machos o todas hembras. ¿Es igual el número de crías machos y hembras en todos los animales? Una vez más, en general suele ser así, aunque con una interesante excepción. Entre los galgos, nacen más machos que hembras. En efecto, de cada cien hembras, nacen ciento diez machos.

LAS BALLENAS EXHALAN AGUA

Cuando una ballena «sopla», parece como si estuviera expulsando agua, cuando en realidad se trata de aire.

Antes de sumergirse, las ballenas llenan de aire sus enormes pulmones y son capaces de aguantar la respiración durante una hora antes de salir de nuevo a la superficie. Cuando por fin emergen, lo exhalan en forma de géiser a través de uno o dos orificios nasales situados en la parte superior de la cabeza. Cuando el aire cálido y húmedo almacenado en los pulmones entra en contacto con el aire más frío de la atmósfera, se condensa en forma de vapor. Cuanto más frío es el aire de la atmósfera, más visible es el vapor que exhala. Algo parecido nos sucede a nosotros en un día frío, cuando podemos «ver la respiración» que exhalamos.

Así pues, las ballenas no expulsan agua. Un mamífero nunca tolera más agua en los pulmones de la que somos capaces de tolerar nosotros.

LOS ELEFANTES TEMEN A LOS RATONES

Es una creencia muy antigua y muy común que no se ajusta ni muchísimo menos a la realidad. Con frecuencia, los ratones infestan las jaulas de los elefantes en los zoos y circos, pero ningún cuidador ha observado jamás que su presencia los altere en lo más mínimo. Mientras los ratones corretean de un lado a otro en busca de alimento, los elefantes simplemente los ignoran.

LOS ELEFANTES BEBEN A TRAVÉS DE LA TROMPA

Los elefantes no absorben el agua a través de la trompa, sino de la boca, al igual que nosotros, aunque primero la succionan con ella, luego, la introducen en la boca y la tragan.

¿Cómo se alimentan las crías de elefante? Desplazando la trompa a un lado durante el amamantamiento y succionando la leche materna con la boca, al igual que todos los mamíferos.

LOS HIPOPÓTAMOS SUDAN SANGRE

La piel del hipopótamo segrega una sustancia espesa, aceitosa y rojiza que aflora a la piel en forma de gotitas. Esta secreción evita que la gruesa piel del animal se seque y agriete, en especial cuando está fuera del agua. Este fluido protector es más abundante y adquiere un color rojo más oscuro cuando el hipopótamo está caliente, nervioso o siente algún dolor. Sin embargo, aunque parece sangre tanto en tonalidad como textura, ni es sangre ni contiene sangre.

LA MEJOR MANERA DE ESCAPAR DE UN LEÓN ES TREPAR A UN ÁRBOL

Aunque no todos los leones trepan a los árboles, algunos pueden hacerlo, y en realidad lo hacen. Se han encontrado (y fotografiado) leones posados en las ramas de los árboles a una altura de hasta 9 m. Se desconoce la causa por la que algunos de estos animales son capaces de trepar, aunque se ha sugerido que lo hacen para evitar el calor y las moscas a ras de suelo.

EL LEÓN ES EL REY DE LOS ANIMALES

El león macho es una criatura tan elegante y de porte tan majestuoso que no es de extrañar que se haya convertido en símbolo de realeza. Pero su aspecto es engañoso. Su comportamiento dista mucho del de un rey, incluso, por así decirlo, del de un noble.

1) El león no es el animal más fuerte de su reino. Si un león se encuentra con un elefante o un rinoceronte en un paso estrecho, será el primero en apartarse o echar a correr. Ni siquiera es el más

grande de los felinos; el tigre siberiano, que por desgracia está casi extinguido en la actualidad, es de mayor tamaño y también es más fuerte.

2) Los leones no suelen dar muerte a sus presas más rápidamente que los cheetas y leopardos, que casi siempre realizan «ejecuciones limpias». En particular, cuando un león o una leona vieja sale a cazar solo, sin la ayuda del resto de los miembros de su familia, a menudo su primer golpe no consigue abatir a la cebra o antílope, y pueden transcurrir algunos minutos antes de que la desdichada víctima exhale su último aliento.
3) La hembra realiza el 90% de las cacerías, pero luego, el macho es el primero en probar bocado. Sólo después de haber saciado su apetito permite que la leona y los demás disfruten del ágape.
4) Tanto el macho como la hembra, en ocasiones, se comen a sus cachorros.
5) A veces, el león es carroñero. En efecto, en algunos casos, obtiene hasta la mitad de su alimento de cadáveres de animales cazados por las hienas, perros salvajes o muertos por enfermedad.

En cualquier caso, aun sin ser el rey, lo cierto es que el león es un buen superviviente y su especie no está amenazada.

EL PANDA GIGANTE ES UN OSO

El panda gigante tiene el mismo tamaño que el oso y un aspecto muy parecido. Al igual que éste, tiene los pies planos y camina con las palmas. No obstante, la mayoría de los científicos lo consideran un miembro de la familia de los mapaches y no de los osos.

LA CABRA MONTÉS AMERICANA ES UNA CABRA

La cabra montés, o Rocky Mountain, vive en América del Norte, desde Yukón hasta las Rocosas, y aunque guarda un gran parecido con las cabras, en realidad es una cabra-antílope. En cualquier caso, las cabras y las cabras-antílope están estrechamente relacionadas; ambos grupos pertenecen a los *Bovidae* (bóvidos).

LA HIENA ES COBARDE Y CARROÑERA

No es verdad que la hiena sea decididamente cobarde ni única y exclusivamente carroñera. Si bien es cierto que se alimenta principalmente de animales muertos, también es un cazador activo y agresivo, temido por muchos animales, incluso de mayor tamaño que ella, por su ferocidad. Suele cazar en grupo, aunque una sola hiena es capaz de abatir a una cebra adulta. Sus maxilares figuran entre los más poderosos del reino animal.

LOS OSOS HIBERNAN EN INVIERNO

Algunos animales se retiran a refugios subterráneos para pasar los meses de invierno cuando el clima es frío y escasea el alimento. Los procesos vitales se ralentizan al mínimo para conservar energía y poder así sobrevivir. Cuando la marmota americana hiberna, por ejemplo, su temperatura corporal desciende drásticamente y el ritmo cardíaco se ralentiza considerablemente. Durante la hibernación, los animales se sumen en un profundo estado de inconsciencia.

¿Y qué hay de los osos? A pesar de lo que suele creer, los osos no

son auténticos hibernadores, sino que simplemente pasan el invierno durmiendo, sin que ninguna de sus funciones vitales se reduzca de un modo significativo. Pueden despertar fácilmente de su «hibernación» y mostrarse plenamente activos en pocos minutos. Sin embargo, no sería una buena idea experimentar con un oso dormido; podría enfurruñarse si se le molesta durante tan placentera y prolongada siesta.

LOS OSOS ESTRECHAN A SUS VÍCTIMAS HASTA QUE MUEREN

Una persona desarmada atacada por un oso corre un gravísimo peligro, pero ¿la estrechará entre sus patas delanteras hasta que muera? El «abrazo de la muerte» del oso es pura leyenda.

Los osos hieren y matan a sus víctimas con un poderoso zarpazo. También utilizan sus potentes dientes y sus afiladas zarpas. No existe ni un solo caso conocido de alguien que haya perecido a consecuencia del abrazo mortal de un oso.

LOS BÚFALOS VAGABAN POR AMÉRICA DEL NORTE

El «búfalo americano» no es un búfalo, sino un bisonte, una especie relacionada con el búfalo pero distinta. Los únicos búfalos auténticos se encuentran en África y Asia.

EL CANGURO ES EL ÚNICO ANIMAL PROVISTO DE UNA BOLSA MARSUPIAL

Una pequeña cría asomando la cabecita fuera de la bolsa de su madre se ha identificado comúnmente con el canguro, pero en realidad existen otros diecisiete marsupiales que también la tienen, entre los que se incluyen el koala, opossum, wombat, bandicoot e incluso algunas especies de ratones.

LAS CABRAS COMEN LATAS DE CONSERVA

Debido a su voraz apetito, se ha acusado a la cabra de comer latas de conserva. Cierto es que lamen las etiquetas por el contenido en sal de la cola y que lo mordisquean todo por pura curiosidad, pero jamás se les ocurre comer zapatos, ropa o latas de conserva.

LOS GORILAS SON ANIMALES BRUTALES

Al gorila se le suele considerar una versión a escala de King Kong, una bestia que ataca sin motivo alguno y sin previo aviso. Nada más lejos de la realidad. A decir verdad, los gorilas son animales tímidos, retraídos y sosegados que prefieren evitar los encuentros peligrosos, y no se enfrentarán a un intruso a menos que se sientan amenazados y no puedan eludir la situación. En caso de ataque, asestarán un golpe con su poderoso brazo o darán un mordisco, pero luego emprenderán rápidamente la retirada.

LOS TOROS ENBISTEN CUALQUIER OBJETO DE COLOR ROJO

Según se cree, el color rojo, como por ejemplo un trozo de tela, irrita al toro, sobre todo si se mueve.

Pero en realidad, los toros no ven colores. Aunque no se ha experimentado con todos los animales acerca de la ceguera cromática, según parece, los humanos, los simios y los monos son los únicos mamíferos capaces de distinguir colores.

Entonces, si el toro no se enfurece a la vista de una tela roja, ¿por qué se usa en las corridas? El torero, sea o no consciente de ello, hace ondear un capote rojo más para excitar al público que al toro. El ser humano responde muy bien al color rojo: es brillante, vivo, es el color de la sangre y está asociado al peligro.

Por lo que se refiere al toro, lo que le excita no es el color del capote, sino su movimiento. Ondeando una toalla verde o un par de pijamas amarillos se consigue el mismo efecto.

EL LOBO ES UN ANIMAL FEROZ

Desde tiempos remotos muchos han considerado al lobo un «asesino» perverso y feroz.

Recientes estudios científicos han demostrado que en realidad no es feroz, sino un animal cauteloso que a menudo rehuye el peligro y que vive en una compleja organización social. Su fuerza es tan limitada que ni siquiera es capaz de cazar un ciervo sin ayuda, y prefiere atacar sólo a las presas más débiles, viejas y enfermas. Sólo ocasionalmente ataca a una oveja o ternera, casi siempre cuando no dispone de alimento alternativo alguno, aunque algunos individuos se han acostumbrado a hacerlo. En cuanto a la idea de que el lobo es peligroso para el hombre, sólo existe un caso documentado de muerte por ataque de lobo, ¡y data de 1767!

LOS LOBOS NO LADRAN

Según la tradición, los lobos no ladran, sólo aúllan. Pero no es verdad.

La finalidad básica del ladrido en los perros y los lobos consiste en alertar o advertir de un peligro cuando un intruso se aproxima a la guarida. Por su parte, el aullido es una forma de comunicación entre dos o más animales separados por la distancia.

El ser humano casi nunca se aventura lo bastante cerca de una guarida de lobo como para poder distinguir un ladrido. Es mucho más probable que los encuentros se produzcan fuera de ella. Los lobos suelen aullar para comunicarse a distancia durante la cacería. En el caso de los perros, la situación es diferente. El hombre invade constantemente su dominio privado, y de ahí que pueda oír sus ladridos con suma frecuencia. Los aullidos son menos frecuentes, ya que casi nunca pasan demasiado tiempo alejados de su dueño. Un perro confinado lejos del alcance de éste, sin duda aullará.

Las diferencias vocales entre los lobos y los perros se pueden explicar sobre la base de las diferencias en su estilo de vida. La calidad del aullido puede variar de un perro a otro, pero es básicamente similar al sonido largo y melodioso de los lobos.

No sólo los lobos ladran, sino también sus primos los zorros, chacales y coyotes.

SEGÚN LA TEORÍA DE LA EVOLUCIÓN, EL HOMBRE PROCEDE DEL SIMIO

La teoría de la evolución enunciada por Charles Darwin (1809-1882) no afirma que el hombre procede del simio, sino que tanto el hombre como el simio tienen un antecesor común a partir del cual siguieron caminos evolutivos diferentes. Así pues, uno no procede del otro.

LAS ARDILLAS VOLADORAS VUELAN

Las ardillas voladoras están provistas de pliegues en la piel, entre las patas anteriores y posteriores, y al estirarlas, cada pliegue se estira en forma de superficie plana, a modo de «alas» que les permiten dar largos saltos desde una rama de un árbol hasta otra inferior. En realidad, estos animalitos planean, no vuelan, pues sus «alas» no baten. Los murciélagos son los únicos mamíferos capaces de volar.

LOS CONEJOS SON MUDOS

Los conejos casi nunca emiten sonidos, es cierto, pero esto no significa que sean mudos, es decir, que no tengan voz. Cuando corren peligro y, sobre todo, cuando les persigue un depredador, a menudo lanzan chillidos fuertes y estremecedores.

Aunque algunos animales no utilizan la voz con frecuencia, los

biólogos creen que todos los animales superiores pueden emitir algún tipo de sonido.

EL CONEJO Y LA LIEBRE SON EL MISMO ANIMAL

Aunque se suele pensar que el conejo y la liebre son idénticos, los biólogos se refieren a ellos con dos nombres distintos. La diferencia más evidente tal vez sea el mayor tamaño de la liebre, en especial sus pabellones auditivos y la patas posteriores. A diferencia de ellas, los conejos viven en guaridas colectivas subterráneas, llamadas «madrigueras». La liebre construye un simple nido en el suelo y las crías nacen con el pelaje completo y con los ojos abiertos, mientras que las de los conejos construyen madrigueras bajo tierra mucho más elaboradas y las crías nacen ciegas, sin pelo e incapaces de valerse por sí mismas. A partir de estas características, se puede concluir que el *Lepus californians* (*jackrabbit*) y el *Hare lepus americanus* (*snowshoe*) de América del Norte son liebres, mientras que la llamada liebre belga es en realidad un conejo. Por su parte, el tapetí, muy común en el este de Estados Unidos, no pertenece exactamente a ninguno de estos dos grupos, aunque se parece más a un conejo que a una liebre.

LOS CERDOS SON ANIMALES SUCIOS

La reputación del cerdo como animal sucio es errónea. Antes de su domesticación, el cerdo vagaba libremente en la naturaleza. Hoy en día, confinado por el hombre en condiciones de hacinamiento y suciedad, casi siempre la peor parte de la granja, el cerdo hace lo que buenamente puede para mantenerse limpio.

Si bien es cierto que se revuelcan en el fango cuando se les presenta la oportunidad, lo hacen por buenas razones: se enfrían, eliminan los parásitos de la piel y atenúan el dolor de las picaduras de los insectos.

También se suele decir que los cerdos son asquerosos porque comen basura, cuando en realidad esto es con lo que habitualmente se les alimenta. También los perros comen las sobras de los alimentos que consumimos, pero no por eso consideramos que sus hábitos alimenticios son repugnantes.

Finalmente, también se dice que los cerdos son extremadamente voraces. «Comer como un cerdo» significa darse un atracón desmesurado. ¡Otro error! Los cerdos no comen más de lo que necesitan para saciar su apetito, mientras que en ocasiones las vacas y los caballos enferman si se les permite comer una cantidad ilimitada de los alimentos que les gustan.

LOS CASTORES USAN LA COLA A MODO DE PALETA

A veces, en los libros infantiles se muestran castores amontonando barro con su cola ancha y plana, y luego utilizándola, al igual que el yesero usa una llana, para rellenar agujeros y grietas en sus diques y madrigueras.

A decir verdad, los castores emplean la cola de formas muy diversas: como remos al nadar y como soporte cuando se sientan para roer el tronco de un árbol; para advertir de un peligro a sus congéneres, golpeándola plana en la superficie del agua, etc. Pero, por lo que respecta a la idea de que los castores utilizan la cola a modo de paleta, es pura imaginación.

LOS CASTORES SON EXPERTOS LEÑADORES

Se cuentan muchas historias acerca de cómo los ingeniosos castores pueden roer el tronco de un árbol de tal forma que éste cae exactamente donde ellos desean, cuando en realidad lo roen por el lado en el que la corteza es más fina, sin tener ni idea de la dirección en la que caerá abatido.

LOS PUERCOESPINES DISPARAN SUS PÚAS A SUS ENEMIGOS

No es verdad que el puercoespín, cuando se ve amenazado por algún peligro, dispare sus púas a su adversario, aunque es fácil comprender cuál es el origen de esta falsa creencia. Habitualmente, el puercoespín se defiende con un inesperado coletazo, y dado que las púas no están firmemente sujetas a su piel, si la cola no da en el objetivo, vuelan algunas púas. Pero, desde luego, no las dispara a propósito.

El puercoespín norteamericano tiene hasta 30.000 púas de 10,2 cm de longitud y terminadas en una punta muy aguda similar a un alfiler. La superficie de la púa es lisa excepto inmediatamente debajo de la punta, donde presenta una banda de minúsculas vellosidades. Cada banda tiene múltiples «barbas» que reposan en la púa, apuntando hacia atrás. Cuando la púa se clava en la piel de la víctima, el calor y la humedad de la carne hace que estas barbas se hinchen y se anclen con firmeza. Al estar orientadas hacia atrás las vellosidades en cuestión, la púa no puede salir sin arrancar una parte de carne, y cuanto más intenta la víctima deshacerse de ella, más profundamente penetra, y si alcanza un órgano vital, el animal muere. Se han encontrado innumerables lobos, osos y leones de montaña muertos con púas de puercoespín clavadas en el cuerpo.

TODOS LOS ROEDORES SON PEQUEÑOS

Pues no. El miembro de mayor tamaño de la familia de los roedores, la capibara, mide 1,2 m de longitud y pesa hasta 68 kg. Vive cerca de los arroyos y ríos de América Central y del Sur, y es un experto nadador. Sus maxilares y dientes son extremadamente poderosos, capaces incluso de cortar una barra metálica.

LOS RATONES SON MUDOS

La frase «silencioso como un ratón» es imprecisa. Los ratones distan mucho de ser mudos. Los investigadores han descubierto que, además de chillar, algunos ratones, entre los que figura el ratón doméstico común, emiten sonidos musicales similares al gorjeo de los pájaros.

A LOS RATONES LES ENCANTA EL QUESO

Lo siento, pero todas estas series de dibujos animados que muestran a los ratones atiborrándose de queso como si se tratara de su alimento favorito, son inciertas. A decir verdad, los ratones no prefieren el queso a otros alimentos y, a menudo, ni siquiera lo tocan si tienen a su disposición otras alternativas.

LOS MURCIÉLAGOS SON CIEGOS

La expresión común «ciego como un murciélago» es errónea. Los murciélagos son animales nocturnos, es decir, que suelen dormir de día y se muestran activos por la noche. Si les molesta y se les obliga a salir de sus oscuras cavernas, tardan algunos segundos en adaptarse al brillo de la luz diurna pero, por lo demás, sus ojos son idénticos a los de muchos otros animales.

LOS MURCIÉLAGOS TIENEN UN SISTEMA DE RADAR INCORPORADO

¿Cómo se orientan los murciélagos en la oscuridad? Emitiendo ultrasonidos, chillidos tan agudos que el oído humano es incapaz de percibirlos. Pero los murciélagos sí pueden. En efecto, los sonidos rebotan en los objetos, se reflejan y retornan a sus oídos, indicando al animal la composición de su entorno segundo a segundo, lo que le permite volar sin colisionar en la más absoluta oscuridad. Si se suelta a un murciélago en una habitación oscura repleta de alambres entrecruzados, puede volar a la máxima velocidad sin tocarlos, pero si se le tapan los oídos, es incapaz de percibir el eco-guía de su voz ultrasónica y no puede evitar la constante colisión.

Pero ¿se trata realmente de un sistema de radar? El radar emite ondas electromagnéticas que rebotan en los objetos para determinar su posición, mientras que el que usa el murciélago es acústico (sistema de sonar). Así pues, el murciélago utiliza un sonar en lugar de un radar. Mucha gente confunde estos dos sistemas.

LOS MURCIÉLAGOS VAMPIRO CHUPAN LA SANGRE

El murciélago vampiro practica pequeños y delicados orificios en la piel y la carne de la víctima con sus afiladísimos dientes. Los cortes se parecen más a los arañazos de afeitado que a las dos punciones que habitualmente se muestran en las películas. Acto seguido, el murciélago vampiro liba la sangre de una forma similar a un gatito lamiendo su pelaje. Es decir, que ni succiona ni puede succionar la sangre, sólo lamer la herida.

¿Prefiere a las víctimas humanas? En realidad, los murciélagos vampiro prefieren el ganado vacuno, aunque si se les presenta la oportunidad y están verdaderamente hambrientos no despreciarán a ningún animal, incluyendo al hombre.

LAS JIRAFAS TIENEN MÁS HUESOS EN EL CUELLO QUE EL HOMBRE

El cuello de la jirafa es tan largo que la gente da por sentado que tiene más huesos que el del hombre, pero éste no es el caso. Tanto el hombre como la jirafa tienen el mismo número de huesos.

Incluso el más pequeño de los pájaros tiene más huesos en el cuello que la jirafa. Su número depende del tipo de ave de que se trate. Las que tienen el cuello más largo, tienen más huesos. El halcón inglés tiene 14, los patos 16 y los cisnes 23. El hombre y la jirafa sólo tienen siete.

LOS CABALLOS PURA SANGRE SON CABALLOS CON LÍNEAS PURAS

Uno de los significados de «pura sangre» es «animal de líneas puras». Los perros pura sangre, por ejemplo, no han sido cruzados con ninguna otra raza canina. Pero en el caso de los caballos pura sangre no son simplemente caballos con líneas puras.

El caballo pura sangre se desarrolló en Inglaterra a mediados del siglo XVIII. En un esfuerzo por criar un animal veloz, se apareó a tres caballos ingleses con otros tres turcos y árabes. La raza resultante se conoce como pura sangre. Así pues, el caballo pura sangre no es meramente un animal con líneas puras, como se suele creer, sino una raza específica de caballo.

LOS CABALLOS BLANCOS NACEN BLANCOS

Exceptuando los genuinos caballos albinos, los caballos blancos ordinarios no son blancos al nacer. Muchos caballos que nacen con una determinada tonalidad, en especial la torda, palidecen paulatinamente a medida que van creciendo hasta adquirir un color blanco puro. Estos animales tampoco paren potros blancos. En realidad, las crías de color blanco son prácticamente desconocidas.

LOS MONOS SE PEINAN MUTUAMENTE EL PELAJE EN BUSCA DE PIOJOS O PULGAS

En los zoos, los monos que hurgan en el pelaje de otros monos parecen estar buscando pulgas, piojos y otros parásitos, pero en realidad no es así. La mayoría de ellos tienen el cuerpo libre de insectos, a menos que sus cuidadores los hayan descuidado o estén confinados en jaulas sucias.

Lo que buscan y rebuscan durante horas y horas son pequeños grúmulos de sal derivados de la transpiración de la piel, y cuando encuentran uno, se lo comen con sumo placer.

LAS MARMOTAS AMERICANAS PUEDEN PREDECIR EL TIEMPO

Al parecer, esta superstición se inició en Europa, donde se aplicaba al erizo. Cuando los pilgrims llegaron al Nuevo Mundo, trajeron consigo este elemento de su folclore y lo aplicaron a la marmota.

Este animal hiberna en su madriguera durante los meses invernales y, según la tradición, sale de ella el segundo día de febrero (*groundhog day*), y echa un vistazo a su alrededor. Si el cielo está nublado y no puede ver su sombra, da por terminada la hibernación y empieza a buscar alimento. Se supone que esto indica que el tiempo será moderado durante el resto del invierno. Y si por el contrario el cielo está despejado y brilla el sol, la marmota ve su sombra y regresa de inmediato a su madriguera; un signo seguro, según la tradición, de que seguirá haciendo frío durante otras seis semanas.

Ni que decir tiene que esta creencia no se sustenta en prueba alguna. ¿Por qué, pues, los periódicos repiten año tras año la historia de la marmota? Precisamente porque es fascinante. Los artículos sobre animalitos curiosos son muy populares. Incluso se conocen casos en los que se han introducido teas ardiendo en la madriguera de la marmota el 2 de febrero para producir una humareda que la obligue a salir y poder así fotografiarla.

LOS LEMMINGS SE DIRIGEN PERIÓDICAMENTE HACIA EL MAR Y SE AHOGAN

Los lemmings de Escandinavia son pequeños roedores que, según se cuenta, marchan en gran número hasta el mar, zambulléndose en el agua y propiciando un suicidio en masa. Se cree que ocurre cuando su población excede del número total de individuos que puede sobrevivir con las reservas alimenticias disponibles. Actualmente, los científicos consideran estos relatos como una pura leyenda.

Los lemmings escandinavos migran cada otoño y primavera en busca de comida, migraciones en las que participan millones de individuos. Si de camino encuentran lagos, ríos o arroyos, intentan cruzarlos, y al hacerlo, como es de esperar, muchos de ellos se ahogan. Pero otros muchos sobreviven. En realidad, son muy pocos los que llegan al mar y se ahogan. Curiosamente, todos los casos de ahogos en masa se refieren invariablemente a migraciones de hace ya muchísimo tiempo. Hoy en día, los científicos no han observado ningún caso semejante.

LOS OSOS POLARES VIVEN EN LAS REGIONES POLARES

Dado que los osos polares se asocian al hielo y el frío, se suele suponer que viven en las regiones ártica (norte) y antártica (sur), pero a decir verdad, estos animales sólo pueblan el Ártico. En la Antártida no hay un solo ejemplar. Son, pues, moradores del polo norte.

LOS GATOS SON UNO DE LOS PRINCIPALES ENEMIGOS DE LOS PÁJAROS

Cierto es que los gatos matan pájaros. Sin embargo, sólo son los responsables de una ínfima porción de todos los pájaros muertos. Las autoridades medioambientales insisten en que otras aves dan muerte a muchos más pájaros que los gatos. Los arrendajos, por ejemplo, cazan pájaros de pequeño tamaño, tales como alcaudones, halcones, búhos, cuervos y urracas. Por su parte, los gatos también son la pre-

sa de algunas aves. El búho cornudo, sin ir más lejos, ataca y se alimenta de gatos.

En consecuencia, no es cierto que los gatos causen serios descensos en la población avícola.

TODOS LOS GATOS TIENEN COLA

Originario, al parecer, del Lejano Oriente, el manx es una de las razas más inusuales de gato doméstico. Se ha criado durante siglos en una isla situada frente a la costa inglesa, en el mar de Irlanda: la isla de Man. El manx tiene dos únicas características: por un lado, al ser sus patas traseras más largas que las delanteras, cuando se desplaza guarda un cierto parecido con el conejo; y por otro, carece de cola.

La mayoría de individuos de esta raza no sólo no tienen cola, sino que presentan una depresión o hueco en el lugar en el que ésta debería crecer. Cualquier manx que nazca con un minúsculo atisbo de una cola, lo que suele acontecer de vez en cuando, no se considera como un individuo auténtico de esta raza y no es apto para participar en concursos.

EL RONRONEO DEL GATO SE ORIGINA EN LAS CUERDAS VOCALES

Contrariamente a lo que se suele creer, el ronroneo no tiene su origen en las cuerdas vocales del gato. En realidad, no se sabe a ciencia cierta de dónde procede (o incluso la causa) de este sonido. Algunos investigadores afirman que es el resultado de una vibración de los vasos sanguíneos situados cerca de la tráquea, mientras que otros piensan que se origina más abajo, en la zona pulmonar o torácica. Y otros, en fin, consideran el ronroneo como una simple vibración del paladar. En cualquier caso, todos coinciden en afirmar que no está provocado por las cuerdas vocales.

Todos los gatos sanos ronronean, tanto si son grandes como pequeños. Por su parte, los leones y los tigres adultos también lo hacen.

LA PANTERA Y EL LEOPARDO SON ANIMALES DIFERENTES

Los nombres «pantera» y «leopardo» evocan dos animales muy diferentes: el primero, un felino negro; y el segundo, un felino moteado. Sin embargo, leopardo y pantera son dos denominaciones para el mismo animal. La confusión deriva del hecho de que el término «pantera» se usa a menudo en América del Norte para referirse al puma.

En ocasiones, y en determinadas regiones, el leopardo pare crías de pelaje negro. Por consiguiente, las formas moteada y negra no pertenecen a animales diferentes, sino que las dos coloraciones se pueden dar en una misma camada. Por lo demás, los individuos negros y moteados se pueden reproducir entre sí. Si observas de cerca y bajo la luz adecuada un leopardo negro, descubrirás las manchas.

TODOS LOS GATOS DOMÉSTICOS DETESTAN EL AGUA

Los gatos domésticos aborrecen el agua. No obstante, hay una raza que constituye la excepción a la regla. Al gato abisinio le encanta. Marrón leonado o negro, de tamaño mediano y muy inteligente, este animal procede de un remoto linaje, y según se cree, era un gato sagrado y adorado por los antiguos egipcios. Esta raza felina disfruta sumergiendo las patas en el agua y pasa largas horas jugando con los grifos que gotean.

NO TODOS LOS PERROS DESCIENDEN DEL LOBO

Algunas de las razas de perros de mayor tamaño se parecen tanto al lobo que es fácil suponer que descienden de él. Éste es el caso del pastor alemán, el husky siberiano y el malamute. Sin embargo, otras razas parecen tan alejadas del lobo que es difícil relacionarlos con él. ¿Qué tienen en común el chihuahua o el dachshund con los lobos? Sin duda alguna, las líneas de descendencia de estos perros deben de haber sido radicalmente diferentes. Pero, según los científicos, esto no es exactamente así. Todos los perros, cualquiera que sea su raza, descienden directamente del lobo. En realidad, son lobos domesticados.

Hay alrededor de 400 razas distintas de perros en el mundo, y su gran número, así como su variedad, se explica a causa de su variabilidad genética. A diferencia del gato, el perro se puede criar muy fácilmente para actividades específicas. Los griegos, por ejemplo, al igual que los antiguos egipcios, desarrollaron perros para cuidar de los rebaños de ovejas, perros guardianes o cazadores.

Sin embargo, independientemente de la raza de que se trate y de lo difícil que sea aceptarlo, todos los perros descienden del lobo. Así pues, la próxima vez que tu perro se porte mal, tal vez sea simplemente a causa del lobo que habita en su interior.

TODOS LOS PERROS LADRAN

No, no todos los perros ladran. La raza basenji, de África, no lo hace.

El basenji es un perro de tamaño mediano que pesa de 9 a 11 kg. Tiene el pelaje castaño con alguna que otra mancha blanca, y una frente extremadamente arrugada que con frecuencia le confiere un aspecto divertido. El basenji es un extraordinario perro de caza. Una de las razones por las que se le utiliza para cazar es precisamente su silencio. Sea como fuere, aunque nunca ladra, no es mudo, sino que a veces emite sonidos con su garganta, especialmente cuando está alegre, pero nunca consigue desarrollar un ladrido completo.

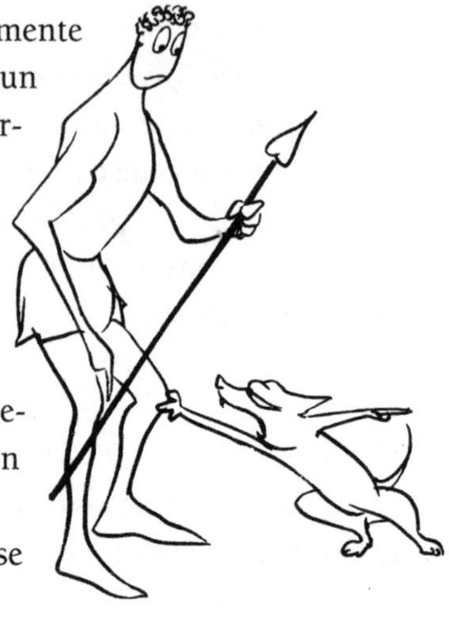

Otra peculiaridad del basenji es que se lava al igual que lo hacen los gatos.

AVES

LOS PÁJAROS TIENEN UN CEREBRO PEQUEÑO

A menudo se suele decir de una persona con escasa inteligencia que tiene un «cerebro de pájaro», pues según se cree, los pájaros tienen un cerebro diminuto. En realidad, el cerebro del pájaro es grande y pesado en comparación con su peso corporal. Es más, algunos pájaros, como por ejemplo los cuervos, son bastante inteligentes.

LOS PÁJAROS CANTAN PARA EXPRESAR SU ALEGRÍA

El ser humano puede cantar de felicidad, pero los pájaros no. A decir verdad, sus melodías forman parte de un complejo sistema de comunicación que se utiliza principalmente durante la estación de apareamiento.

El macho canta por dos razones: para anunciar que se ha establecido en un territorio que otros machos de su misma especie deberían evitar, y para atraer a una pareja.

Por su parte, las hembras de la mayoría de las especies de aves canoras no cantan, y aunque algunas lo hacen, en realidad no cantan tanto ni tan bien como los machos. La hembra del canario, por ejemplo, tiene un reclamo más débil, más corto y menos atractivo que el macho.

En cualquier caso, el canto constituye una parte importante del cortejo y demás actividades afines, y no una forma de expresar la alegría.

LAS AVES TIENEN QUE BATIR LAS ALAS PARA SUSTENTARSE EN EL AIRE

El cóndor, el zopilote y el halcón vuelan a menudo a grandes alturas y pueden permanecer flotando en el aire durante horas sin el menor movimiento de las alas. Estas aves son capaces de aprovechar las corrientes de aire ascendentes y sacar partido de los cambios que se producen en ellas realizando ligeros movimientos del cuerpo, cabeza y cola. Este tipo de vuelo es similar al de una cometa y se llama planeo.

Algunas aves del tipo de los buitres dependen tanto de las corrientes de aire para volar que prefieren posarse en las ramas de los árboles en los días de viento en calma, cuando planear resulta demasiado difícil.

UN INDIVIDUO SIEMPRE LIDERA A LA BANDADA

Es una creencia muy extendida que las bandadas de pájaros en vuelo están lideradas por un individuo, que según se suele pensar, es el más viejo, experimentado o fuerte, pero no es así.

Basta observar cualquier bandada de aves para comprobar que ésta rompe periódicamente la formación y se reúne de nuevo poco después. Cada vez que la bandada se dispersa, una individuo diferente asume la posición de líder.

LAS AVES SÓLO PUEDEN VOLAR HACIA DELANTE

Quien piense que las aves sólo pueden volar hacia delante es que no ha tenido la oportunidad de ver en acción al colibrí. Ninguna otra ave en el mundo puede igualar la capacidad voladora de este minúsculo pajarillo. En efecto, los colibríes son capaces de permanecer inmóviles en el aire, ascender, descender, desplazarse adelante y atrás, e incluso lateralmente. ¿Cómo se las ingenian para conseguirlo? Además de batir las alas a una asombrosa velocidad (hasta 75 batidas por segundo), este animal puede hacerlas rotar durante cada batida. Las alas de los colibríes son similares a las palas de un helicóptero, que cambian su inclinación según convenga, lo que lo convierte en un aparato extremadamente maniobrable.

LAS AVES ADULTAS NUNCA PIERDEN LA HABILIDAD DE VOLAR

Después de criar a sus polluelos, la mayoría de las aves pasan por un período de muda del plumaje y desarrollan otro nuevo. Lo cierto es que las van perdiendo paulatinamente, no todas a la vez, sino dando tiempo a que crezcan las nuevas. Así pues, el ave siempre puede volar.

Sin embargo, poca gente sabe que la mayoría de las aves acuáticas sí pierden la capacidad de volar durante la muda. Los cisnes, gansos y los patos, entre otros, mudan todo su plumaje a la vez y quedan totalmente incapacitados para volar durante varias semanas.

A MENUDO, CUANDO DUERMEN, LAS AVES SE CAEN DE LAS RAMAS

¡Imposible!

Las patas de las aves están provistas de tendones que se extienden desde los dedos hasta la articulación del tobillo y continúan a lo largo de la pata hasta los músculos superiores. Cuando un pájaro se posa en la rama de un árbol, su peso curva esta articulación y los tendones se estiran y tensan, lo que a su vez curva los dedos y le permite sujetarse firmemente. Así pues, las aves no corren el menor peligro de caerse cuando duermen.

TODAS LAS AVES CONSTRUYEN NIDOS

No. Algunas no lo hacen. Concretamente, las que ponen los huevos en el suelo no suelen construir nidos. Muchas aves acuáticas, como por ejemplo las golondrinas de mar, se limitan a excavar un pequeño hoyo en la arena o la hierba en el que desovar. La mayoría de los loros y muchos búhos anidan en huecos de los árboles, forrados o no de plumón, hojas, briznas de hierba y otros materiales afines.

Algunos pájaros no construyen nidos porque viven a modo de parásitos de otros. El tordo o chamón, sin ir más lejos, pone sus huevos en el nido de otras aves, de forma que engaña a sus propietarios para que críen a sus polluelos.

LOS AVESTRUCES ENTIERRAN LA CABEZA EN LA ARENA

Cuando un avestruz de 2,4 m de altura se siente amenazado, a menudo se acuclilla y estira su largo cuello a ras de suelo para hacerse menos visible, pero nunca entierra la cabeza en la arena. Si el peligro es extremo, se pone en pie y huye, pudiendo alcanzar velocidades de hasta 80,5 km por hora. También es capaz de enfrentarse a sus enemigos. En efecto, el avestruz puede infligir graves heridas con sus afilados dedos y su más que poderosa patada. Se han dado casos de hombres e incluso caballos que han muerto a causa de los golpes.

SÓLO LAS HEMBRAS INCUBAN LOS HUEVOS

No lo creas. Entre las aves se dan muchos tipos de comportamiento a la hora de incubar. En algunas, la hembra se sienta sola sobre los huevos, mientras que en otras, es el macho el que se encarga de incubarlos. Tres buenos ejemplos los tenemos en el ñandú, el kiwi y la faralopa. En otras especies ambos progenitores se turnan en la incubación. Se ha estimado que en más de la mitad de las familias de aves, los dos sexos comparten la tarea de incubar los huevos.

LAS AVES NO LLEVAN CONSIGO A SUS CRÍAS

Una mamá gata llevando consigo a sus gatitos de un lugar a otro es una imagen muy común, pero si creyéramos que las aves nunca lo hacen, estaríamos en un error.

Una mamá de chocha alarmada sujeta a su cría entre los muslos, cierra con firmeza las patas y echa a volar hasta un lugar más seguro. Asimismo, un pato llamado merganser encapuchado anida en los huecos de los árboles que en ocasiones están situados a una considerable altura y a una cierta distancia del agua. Cuando los polluelos están preparados para abandonar el nido, con frecuencia los lleva consigo en su pico, de uno en uno, hasta el lago o marisma más próxima. Por su parte, también se ha observado un comportamiento similar en los patos de bosque.

EL SOMORMUJO ES UN PÁJARO LOCO

La expresión «loco como un somormujo» ha dado a esta ave una reputación que en realidad no merece. Aunque cuando emite su reclamo parece estar mal de la azotea, el somormujo es una de las aves más inteligentes que existen.

EL ÁGUILA CALVA ES CALVA

No, el águila calva no es calva. Esta especie de águila, el símbolo de Estados Unidos, tiene la cabeza de color negro al nacer. Pero a medida que va creciendo, las plumas negras se sustituyen por otras blancas que se extienden por el cuello.

Todas las águilas calvas están protegidas por la ley. Por desgracia, muchos cazadores las consideran magníficos trofeos. La polución y los insecticidas también son letales para tan majestuosa ave. El número de águilas calvas está descendiendo paulatinamente, y en la actualidad la especie está amenazada de extinción.

«RECTO COMO UNA BANDADA DE CUERVOS»

Ésta es una de aquellas expresiones tan comunes que, cuando se investigan, demuestran ser erróneas. A menudo, los cuervos no vuelan en línea recta; prefieren hacerlo en forma de meandros o en zig-zag.

LOS PINGÜINOS VIVEN EN EL POLO NORTE

Quien más quien menos da por supuesto que, al vivir en las regiones frías y cubiertas de hielo, estas divertidas criaturas de color blanco y negro habitan en el polo norte, pero se equivocan, pues en realidad moran en la región antártica, lo que incluye el polo sur y otras partes del hemisferio sur.

Asimismo, mucha gente cree que el oso polar vive en el polo sur, cuando lo cierto es que habita en el Ártico, región que incluye el polo norte.

EL BÚHO ES SABIO

El búho es un símbolo de sabiduría, aunque no es exactamente así. Comparado con otras muchas aves, el búho es torpe y bastante bobalicón.

EL PAVO REAL EXHIBE SU COLA

El precioso abanico de plumas que exhibe el pavo real no tiene nada que ver con una cola. Estas plumas largas y atractivas crecen en la sección inferior de la espalda, justo encima de la auténtica cola, que consta de veinte plumas cortas, rígidas y monocromáticas. Cuando el animal quiere exhibirlas, la cola se eleva, abre el abanico y lo aguanta erguido.

LOS ESPANTAPÁJAROS ASUSTAN A LOS PÁJAROS PORQUE PARECEN SERES HUMANOS

Tradicionalmente se da por sentado que la forma humana de los espantapájaros es lo que asusta a los cuervos y otras aves. Sin embargo, no es el parecido a la forma humana lo que los atemoriza, sino el olor. En efecto, la fragancia del hombre en la ropa del espantapájaros es lo que en realidad los asusta. Tras su exposición al viento y la lluvia, la ropa pierde su característico olor humano y, por lo tanto, también su eficacia disuasoria. En definitiva, un espantapájaros que haya permanecido a la intemperie durante un determinado período de tiempo puede aportar un toque decorativo a un jardín o un campo, pero no conseguirá asustar a los cuervos y otras aves.

LAS AVES NO VUELAN TAN ALTO COMO LOS AVIONES

Aunque es verdad que normalmente las aves vuelan a altitudes inferiores a 900 m, algunas especies son capaces de alcanzar cotas que sólo se asocian a los aviones.

Los gansos que sobrevuelan el Himalaya durante la migración han llegado a alcanzar los 9.000 m de altitud. Una de las aves que vuelan a mayor altitud es el buitre barbudo, que alcanza los 7.600 m. Por otra parte, también se han descubierto ánades reales a 6.400 m. A estas altitudes, el aire es tan enrarecido que el hombre necesita un suministro suplementario de oxígeno simplemente para respirar, pero para las aves en vuelo parece ser más que suficiente.

REPTILES Y ANFIBIOS

LOS DINOSAURIOS CONSTITUÍAN UNA FORMA DE VIDA DEFICIENTE

Dado que los dinosaurios se extinguieron hace millones de años, se suele asumir que desaparecieron porque constituían una forma de vida deficiente, cuando en realidad fueron un grupo de reptiles extraordinariamente satisfactorio.

Se han encontrado fósiles de los primeros dinosaurios a principios del período triásico, hace alrededor de 225.000.000 de años, y los últimos, a finales del cretácico, hace aproximadamente 70.000.000 de años. En consecuencia, el dinosaurio vivió durante un período de alrededor de 150.000.000 de años, un largo período si lo comparamos con cualquier medida de tiempo. Pocas formas de vida pueden igualar a los dinosaurios en duración de existencia. No sólo vivieron durante un dilatadísimo período de tiempo, sino que también domina-

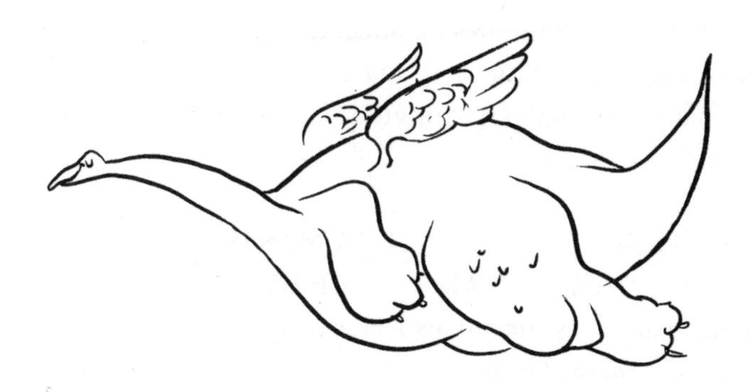

ron la Tierra. Se han encontrado restos de dinosaurios en todos los continentes exceptuando Australia.

Los científicos no se han puesto de acuerdo acerca de cuál fue la causa exacta de su extinción, aunque se sabe que su desaparición no estuvo relacionada con una enfermedad epidémica, una catástrofe natural o la destrucción de los huevos por primitivos depredadores. Según una teoría comúnmente aceptada, los dinosaurios sucumbieron ante cambios rápidos y generalizados en la geología y el clima terrestres. Sin embargo, si tales cambios fueron tan acusados, ¿por qué sólo afectaron a estos animales y no también a otras formas de vida? Curiosamente, no sólo desapareció el dinosaurio a finales del cretácico, hace aproximadamente 75.000.000 de años, sino también los ictiosaurios (reptiles acuáticos) y los pterosaurios (reptiles voladores).

Hay quienes piensan que los dinosaurios no desaparecieron en un sentido evolutivo. Según este punto de vista, teniendo en cuenta la creencia de que los dinosaurios dieron paso a las aves, éstas son, en consecuencia, dinosaurios plumados.

EL HOMBRE PREHISTÓRICO Y LOS DINOSAURIOS VIVIERON JUNTOS

A pesar de que en las series de dibujos animados y de televisión a menudo se representa la coexistencia del hombre y los dinosaurios, lo cierto es que es imposible que fueran coetáneos.

La mayoría de los científicos sitúan el origen del hombre hace 2-4 millones de años, mientras que los últimos dinosaurios se extinguieron hace más de 60 millones de años, a finales de la era mesozoica. Así pues, cuando el ser humano apareció en la Tierra, aquellos colosales animales ya se habían extinguido hacía millones de años.

EL DINOSAURIO ES LA CRIATURA MÁS GRANDE QUE JAMÁS HAYA POBLADO LA TIERRA.

Aunque pueda resultar una sorpresa, algunos dinosaurios apenas superaban el tamaño de una gallina. Cierto es que otros eran muy grandes. El *Brontosaurus*, por ejemplo, medía más de 18 m de longitud y pesaba entre 27 y 36 toneladas, y el *Diplodocus* tenía una longitud de 26,5 m, aunque sólo pesaba 10,8 toneladas. El dinosaurio más enorme que se ha descubierto es el del *Brachiosaurus*, de 12 m de altura con el cuello erguido, que medía 24 m de longitud y pesaba 54 toneladas.

No obstante, ninguna de estas criaturas prehistóricas alcanzaba ni por asomo el tamaño y el peso del animal más grande que vive hoy en día en la Tierra: la ballena azul, que puede alcanzar los 33,5 m de longitud y pesar 158 toneladas, es decir, el equivalente de treinta elefantes y alrededor de tres veces la masa del más gigantesco de los dinosaurios.

LAS SERPIENTES SON VISCOSAS Y RESBALADIZAS

Quienes dicen que las serpientes son viscosas y resbaladizas es que nunca han tocado una. La piel de una serpiente es fría, seca y extraordinariamente limpia. Jamás podrás descubrir una serpiente sucia, ya sea en libertad o en cautividad. La razón reside en que la piel escupe el agua y el barro y, al estar seca y lisa, impide que la suciedad se adhiera a ella.

LOS ENCANTADORES DE SERPIENTES HACEN BAILAR A LAS COBRAS

Los encantadores de serpientes aseguran ser capaces de poner una serpiente, generalmente una cobra, en trance. Al tocar música, se supone que ésta se contonea («danza») a su ritmo y se rinde al poder hipnótico del encantador.

Los científicos dudan que sea esto lo que realmente ocurre. La cobra no está hipnotizada por el sonido de la música, pues al igual que todas las serpientes, su oído es extremadamente limitado.

¿Cómo se las ingenia pues el encantador para que la cobra se mueva? Dado que son muy sensibles a las vibraciones, éstas suscitan su interés y las despiertan, levantando la cabeza, mientras el encantador marca el ritmo de la melodía con los pies. Asimismo, cuando el encantador y su flauta se mueven de un lado a otro, la cobra se siente atraída por el movimiento y lo sigue. En realidad, cuando aquél permanece inmóvil, la serpiente hace lo propio.

A decir verdad, la música, las órdenes verbales y otras payasadas del encantador están destinados a «encantar» a los espectadores, no a la serpiente.

LA BOA CONSTRICTOR MATA A SUS VÍCTIMAS CONSTRIÑIÉNDOLAS CON SUS ANILLOS

La boa constrictor y otras serpientes de sus mismas características no constriñen a sus víctimas hasta la muerte, sino que las envuelven rápidamente con tres o cuatro anillos, contrayéndolos progresivamente a medida que su presa exhala. Muy pronto, ésta es incapaz de respirar y muere asfixiada. Así pues, la muerte no se produce por constricción, sino por asfixia.

TODAS LAS SERPIENTES SON CRIATURAS TERRESTRES

Aunque se cree que las serpientes son criaturas eminentemente terrestres, existen alrededor de sesenta especies marinas. Viven en los mares de Asia meridional, Australia y la costa este de África, a lo largo del litoral.

Las serpientes marinas están perfectamente adaptadas a la vida subacuática. Son magníficas nadadoras y su cola plana les confiere un extraordinario poder de propulsión. Estos animales, al igual que otras serpientes, sólo respiran aire, aunque su aprovechamiento del mismo es muy eficaz. Una sola inspiración les permite permanecer sumergidas durante una hora. A mayores profundidades, utilizan otro método. Tragan agua, aprovechan el oxígeno que se contiene en ella y luego la expelen. De este modo, pueden permanecer bajo el agua durante horas. Las serpientes marinas son totalmente marinas, dan a luz en el mar y, a diferencia de las tortugas y las focas, mueren si quedan encalladas en la arena.

Aunque sólo un pequeño porcentaje de serpientes de mar son venenosas, todas ellas están cargadas de veneno. Una mordedura de serpiente marina puede ser muy grave, incluso fatal a menos que la víctima reciba atención médica de inmediato.

LAS LÁGRIMAS DE COCODRILO SON FALSAS

Con frecuencia, los cocodrilos «lloran» mientras se alimentan, pero desde luego no lo hacen por compasión de las víctimas que están devorando. Las lágrimas son simplemente un reflejo automático que se produce cuando abren los maxilares de par en par, al igual que muchas veces nuestros ojos se llenan de lágrimas al bostezar.

LAS SERPIENTES MUDAN LA PIEL, LOS HUMANOS NO

La muda de la piel no es una característica exclusiva de las serpientes; los humanos también lo hacen. En efecto, el hombre muda parcialmente su piel cuando se quema al sol y con la pérdida de caspa del cuero cabelludo. Asimismo, los humanos también mudan totalmente la piel; es normal.

La piel humana consta de cuatro estratos. El exterior, o cuarto estrato *(estratum corneum)*, está sometido a una muda constante. Inmediatamente después de que las células de esta capa exterior se adhieran a la ropa o se despeguen con el aire, son sustituidas por las de los estratos inferiores. Desde que una célula pasa de la capa más inferior a la exterior de la piel transcurren cuatro semanas. Por consiguiente, nuestra piel se sustituye completamente cada 28 días.

Curiosamente, el estrato exterior está formado por células muertas. Cuando nos frotamos las manos, en realidad, piel muerta está tocando piel muerta.

LA SERPIENTE DE CASCABEL SIEMPRE AVISA ANTES DE ATACAR

Muchas serpientes hacen vibrar la cola cuando están nerviosas o se sienten amenazadas, pero sólo la de cascabel dispone de un «cascabel». Su cola suele vibrar a 48 ciclos por segundo y se puede oír a una distancia de 30 m.

¿La serpiente de cascabel avisa siempre con la vibración de la cola antes de atacar, como muchos suponen? No. Muchas víctimas han descubierto, para su propio infortunio, que puede hacerlo sin la menor advertencia. Asimismo, cuando el animal hace sonar su cascabel, no pretende avisar al intruso de su inminente peligro, sino que se trata pura y simplemente de la reacción de nerviosismo y enojo.

¿Transcurren siempre unos minutos desde que la serpiente se enrosca alrededor del cuerpo de su presa hasta que la muerde? En ge-

neral sí, aunque no siempre. La serpiente de cascabel puede morder sin enroscarse, y a menudo suele hacerlo cuando se la pisa o se ve sorprendida por un humano u otro animal.

EL CAMALEÓN CAMBIA DE COLOR PARA CAMUFLARSE CON SU ENTORNO

Los camaleones sufren rápidos cambios de coloración, aunque esto no tiene nada que ver con el color de su entorno.

Las células de la piel de los camaleones contienen pigmentos que son los causantes de semejantes alteraciones. Cuando el animal se enoja o asusta, impulsos nerviosos enviados a las células cromáticas hacen que los colores se oscurezcan. El calor y el frío, la luz solar y la oscuridad también influyen en el color del camaleón.

Resumiendo, la temperatura, los cambios en la luz y el estado anímico son los responsables de los cambios en la coloración.

LOS SAPOS PROVOCAN LA APARICIÓN DE VERRUGAS

No existe la menor evidencia de que los sapos sean la causa de la aparición de verrugas ni de que tengan algo que ver con ellas. Las protuberancias parecidas a verrugas diseminadas por el cuerpo del sapo tal vez sean similares a las que se pueden presentar en el cuerpo humano, pero los científicos de la medicina aseguran que las verrugas humanas están causadas por un virus y que a menudo están asociadas a la falta de higiene.

Lo que sí es cierto es que la piel de muchos sapos está cubierta de una secreción urticante que causa irritación si entra en contacto con los ojos, la boca o una herida en la piel. En consecuencia, conviene manipular a estos animales con cautela.

PECES Y OTROS ANIMALES ACUÁTICOS

TODOS LOS PECES TIENEN ESCAMAS

La mayoría sí, pero no todos. El pez gato, por ejemplo, no tiene escamas. Por su parte, todos los peces nacen sin escamas, que se forman debajo de la piel y asoman más tarde. ¿Desarrollan más escamas los peces a medida que aumentan de tamaño? No, el número de escamas es siempre el mismo; simplemente se separan paulatinamente.

LOS PECES NO PUEDEN AHOGARSE

Si por «ahogo» se entiende asfixia causada por la falta de oxígeno, entonces los peces sí se pueden ahogar.

Estos animales respiran absorbiendo el oxígeno del agua, y si el oxígeno se agota, no tienen otro remedio que emigrar a otras aguas en las que el suministro de oxígeno sea adecuado, so pena de morir de asfixia. En realidad, millones de peces mueren cada año por asfixia, un problema de creciente gravedad a medida que la polución del agua va destruyendo poco a poco los suministros de oxígeno en una gran parte de las aguas terrestres.

LOS PECES NADAN CON LAS ALETAS

La impresión de que los peces nadan con las aletas es muy común y tal vez sea el resultado de observar cómo nadan los humanos y otros animales, dando por sentado que los peces lo hacen de una forma similar. A decir verdad, estos animales se impulsan moviendo la cola de un lado a otro. Las aletas las utilizan a modo de timón de dirección y como dispositivo de estabilización.

TODOS LOS PECES PONEN HUEVOS

Muchos peces no ponen huevos, sino que dan a luz alevines. En cualquier caso, algunos de ellos también son ovíparos, es decir, que las crías nacen de huevos retenidos en el interior del cuerpo de la madre durante su desarrollo. Aun así, no existe ninguna conexión con la madre a través de placenta. Los huevos simplemente se almacenan en el cuerpo de la madre hasta el nacimiento de los alevines. Otros peces son realmente vivíparos, y las crías se alimentan a través de una conexión placentaria, al igual que ocurre en los mamíferos. Entre los peces vivíparos se incluyen el pez luna, el cola de sable mexicano, el pez surf, los lebistes y el pez forrajero.

EL PESCADO «NUTRE» EL CEREBRO

Dado que el pescado es rico en fósforo y dado que el cerebro también lo es, la noción de que «nutre» el cerebro está muy generalizada.

Las aves, los huevos y la leche también son ricos en fósforo. ¿Acaso no nutren el cerebro? No existe ninguna razón para creer que el cerebro necesite algún tipo de alimento especial. Su necesidad nutritiva es idéntica a la de cualquier otra parte del organismo. El pescado no alimenta más el cerebro que las palomitas de maíz.

TODOS LOS PECES RESPIRAN A TRAVÉS DE SUS AGALLAS

Todos los peces tienen agallas, pero algunos de ellos también tienen pulmones, como en el caso de cuatro especies africanas de pez pulmonado y otra sudamericana. Estos animales son capaces de sobrevivir durante largos períodos fuera del agua, ya que sus pulmones están más desarrollados que sus agallas. Algunos de estos peces obtienen hasta el 95% del oxígeno que necesitan del aire. En realidad, algunos peces pulmonados se ahogan si permanecen indefinidamente bajo el agua y no tienen la oportunidad de salir a la superficie.

Durante las estaciones secas, el pez pulmonado se entierra en el fango de arroyos y lagos secos, y segrega una sustancia mucosa espesa con la que forma una especie de envoltura a modo de capullo. Puede permanecer enterrado, respirando oxígeno, durante 18 meses o hasta que la siguiente estación de lluvias inunde el área.

LOS PECES RESPIRAN EL OXÍGENO CONTENIDO EN LAS MOLÉCULAS DE AGUA

Mucha gente cree que el oxígeno que respiran los peces está unido químicamente al hidrógeno, formando agua, lo cual tiene sin duda su parte de lógica, ya que el agua, como sabemos, se compone de una parte de oxígeno y dos de hidrógeno. Sin embargo, el agua es uno de los compuestos más difíciles de separar, y para conseguirlo, se requieren complejos procesos químicos.

Expuesta a la atmósfera, el agua absorbe aire, que a su vez contiene oxígeno. El oxígeno penetra la superficie marina y se disuelve en el fondo, y es precisamente este oxígeno disuelto de la atmósfera, y no el contenido molecular del agua, lo que respiran los peces. Es decir, los peces respiran oxígeno en el agua, no agua propiamente dicha.

LOS PECES MUEREN FUERA DEL AGUA

Hay peces que tienen la capacidad de permanecer largos períodos de tiempo fuera del agua y que pueden «caminar» torpemente considerables distancias. El pez gato de Florida, un ejemplo de pez andarín (originariamente era de Tailandia), se multiplica tan rápidamente

que se está convirtiendo en una verdadera molestia, y el Ctenopoma acutirostre de India también es muy conocido. En otras partes del mundo, peces tales como los gobis, blenias y cabeza de serpiente *(Ophicephalus micropeltes)* se desplazan por la hierba o el lodo de un estanque o lago a otro cuando es necesario.

Además de branquias, todos los peces andarines están provistos de sistemas de respiración que les permite absorber el oxígeno del aire. Ni que decir tiene que estos animalitos caminan con suma dificultad, utilizando las aletas a modo de patas, aunque en realidad avanzan principalmente mediante vigorosos movimientos de la cola.

Algunos biólogos están convencidos de que estos peces están en pleno proceso de transformación en animales terrestres, y que finalmente, tras una lenta secuencia de cambios se adaptarán exclusivamente a la vida en tierra firme y ya no serán capaces de volver a nadar como un pez.

LOS PECES SON MUDOS

Las ballenas, delfines y marsopas son mamíferos con cuerdas vocales desarrolladas. No es, pues, de extrañar que estos habitantes del mar sean capaces de producir diferentes sonidos. Dado que los peces carecen de cuerdas vocales, se podría suponer que no pueden emitir sonidos, pero no es así.

Entre los sonidos producidos por los peces figuran los gruñidos, resoplidos, silbidos y chillidos. Asimismo, pueden chirriar, tamborilear e imitar el son de un raspado. Raro es el pez que no gruña. La forma más habitual de producir sonidos es haciendo vibrar las vejigas natatorias o frotando determinadas partes del esqueleto. Algunos peces golpean las aletas o repiquetean con los dientes.

Poco se sabe acerca de los motivos por los que los peces producen sonidos. Los científicos creen que los tamborileos del pez tambor constituyen un mecanismo de defensa para asustar a los enemigos que se aproximan, y el sonido de «silbido de barco» que emite el pez sapo podría estar relacionado con el proceso de apareamiento. Según parece, otros sonidos estarían destinados a advertir al banco de un posible peligro.

Así pues, lejos de ser un mundo silencioso, el océano es un lugar ruidoso repleto de una rica variedad de sonidos.

EL TIBURÓN CAUSA MÁS HERIDAS AL HOMBRE QUE A CUALQUIER OTRO PEZ

No es cierto. En realidad, las rayas venenosas causan más heridas al hombre cada año que todas las demás especies marinas consideradas en su conjunto. Se estima que en Estados Unidos se producen mil casos de heridas causadas por rayas venenosas cada año, y aunque la sustancia tóxica que segrega no suele ser letal, es extremadamente dolorosa.

No existe constancia alguna de ataque al hombre de ninguna de las distintas especies de raya venenosa, que están relacionadas con el tiburón, y la práctica totalidad de los casos de heridas de raya se han producido cuando la víctima la ha pisado inadvertidamente. También pueden ser resultado de un intento de manipulación.

Las rayas venenosas son criaturas que viven sobre todo en aguas poco profundas y que a menudo permanecen parcialmente sumergidas en la arena y el fango. Debido a que su cuerpo aplastado es del mismo color que el fondo, son difíciles de ver. Al pisarlas, proyectan la cola hacia delante con una rapidez extraordinaria, y no sólo cortan, sino que también inyectan el veneno en la herida.

Si ves alguna raya venenosa déjala en paz, y si está en la zona en la que te estás bañando, asústala con un palo, pero nunca con las manos o los pies.

TODOS LOS TIBURONES SON PELIGROSOS

No todos los tiburones son peligrosos, al igual que tampoco todas las serpientes son venenosas. Se estima que de las casi trescientas especies diferentes de tiburones que habitan en las aguas de nuestro planeta, sólo un 10% son peligrosos. Los restantes son inofensivos y prefieren evitar cualquier confrontación. Es interesante destacar que los tiburones de mayor tamaño suelen ser los más inofensivos; se alimentan de plancton, no de carne. El de mayores dimensiones, el tiburón-ballena, llamado así por su extraordinario parecido a este cetáceo, puede alcanzar una longitud de 18 m, y es un comedor de plancton tan apacible que los submarinistas pueden nadar a su alrededor sin correr el menor riesgo e incluso sujetarse de sus aletas.

Como es lógico, si estás en el agua y avistas un tiburón, sería una verdadera locura pararte a pensar si es o no peligroso.

LOS TIBURONES LOCALIZAN A SUS VÍCTIMAS MEDIANTE EL OLOR DE LA SANGRE

Los tiburones reaccionan poderosamente al olor de la sangre en el agua, pero no es principalmente a través de este olor que localizan a sus víctimas. Un tiburón es capaz de percibir vibraciones en el agua mediante delicadas vellosidades situadas en los lados de su cuerpo. El sonido del chapuzón de un nadador llega rápidamente hasta el tiburón desde considerables distancias, mucho antes de que pueda advertir el olor.

Son estas vibraciones y no el olor de la sangre lo que suele atraer a estos animales. Más de la mitad de los casos conocidos de ataque de tiburones se han producido a profundidades de 1,5 m o inferiores, y casi ninguna de las víctimas sangraba antes del mismo. Los casos de ataques de tiburón a individuos sin heridas se remontan a los tiempos de la antigua Roma.

Sin embargo, en el caso de que un tiburón o, mejor, un grupo de ellos perciba el olor de la sangre, se puede asistir a uno de los espectáculos más cruentos en la naturaleza. En efecto, cuando varios tiburones se ciernen sobre una víctima sangrante, un asombroso frenesí se apodera de ellos. Lo muerden y desgarran casi todo, incluso mutuamente, además de la víctima.

LAS MARSOPAS REALIZAN EXTRAORDINARIOS SHOWS ACUÁTICOS

Casi todas las «marsopas» adiestradas que entretienen al público que asiste a los shows acuáticos no son ni mucho menos marsopas, sino delfines, por lo general la especie *Tursiops truncatus*.

El delfín es uno de los animales más inteligentes que existen. Estos amistosos y juguetones mamíferos sienten una genuina debilidad por el hombre, y hasta cierto punto se les puede entrenar para que imiten incluso su habla. Se han dado innumerables casos de delfines que rescatan a un miembro del grupo herido o enfermo, manteniéndolo en la superficie para que pueda respirar. También se conocen casos de delfines que han salvado la vida de personas que se estaban ahogando, arrastrándolas hasta la orilla, aunque no se sabe a ciencia cierta si lo hacen a propósito o sólo para jugar.

El tiburón es el principal enemigo del delfín. En un encuentro de dos individuos, el delfín reacciona evadiendo el enfrentamiento, huyendo a gran velocidad y maniobrando con una increíble destreza. La situación es muy diferente cuando el encuentro es con un grupo de delfines, en cuyo caso lo golpearán con sus duros hocicos hasta darle muerte.

EL PULPO CONSTRIÑE A SUS VÍCTIMAS HASTA LA MUERTE

El pulpo nunca mata a sus víctimas estrangulándolas o constriñéndolas con sus tentáculos, que usan únicamente para sujetarlas para poder morderlas con el pico, similar al de un loro. Muchas especies de pulpos son venenosas e inyectan saliva tóxica en la herida que han causado con el pico. No obstante, según se sabe, sólo un pulpo, el pequeño pulpo de anillos azules, que vive en las costas de Australia, es capaz de matar seres humanos.

Un pulpo de gran tamaño puede tener un aspecto amenazador, pero casi nunca constituye un peligro real. Los pulpos son tímidos y prefieren ocultarse en la seguridad de las rocas y grietas, pasando desapercibidos ante la presencia de sus enemigos gracias a su asombrosa habilidad para cambiar de color y mezclarse en el entorno.

Los múltiples relatos de pulpos gigantes que atacaban a marineros y barcos son pura fantasía, y en el caso de tener algún fundamento, no se referirían al pulpo, sino al calamar gigante, una criatura más grande y agresiva. Se han encontrado ejemplares de calamar gigante que alcanzan los 17 m de longitud y pesan 1.800 kg.

LOS CANGREJOS DE HERRADURA SON CANGREJOS

Los cangrejos de herradura no son cangrejos, ni siquiera crustáceos. Es decir, que pesar de su aspecto, no están relacionados con criaturas marinas tales como el camarón, el cangrejo, la langosta y el pez gato, sino con los arácnidos. Los parientes más próximos del cangrejo de herradura son, entre otros, el ácaro, la garrapata, el escorpión y la araña.

A los cangrejos de herradura se les llama «fósiles vivientes», y por una buena razón: evolucionaron hace 150 millones de años y no han cambiado un ápice desde entonces.

LOS PECES VOLADORES REALMENTE VUELAN

Planear sí, pero volar no. La idea de que estos peces «baten sus alas» en un auténtico vuelo es equivocada. Las ensanchadas aletas pectorales de un pez volador permanecen rígidas, y por esta razón es incorrecto decir que pueden volar como las aves.

Esto no significa que haya que menospreciar la extraordinaria capacidad del pez volador de surcar el aire. Cuando le persigue otro pez de mayor tamaño, aprovecha su poderosa cola para alcanzar la velocidad suficiente en el agua para poder despegar, deslizándose hasta 183 m en el aire antes de caer de nuevo al mar.

EL CAPARAZÓN DE LOS CANGREJOS EN LA PLAYA SON LOS RESTOS DE CANGREJOS MUERTOS

Es frecuente encontrar caparazones de cangrejos en la playa, y se podría suponer que son los restos de ejemplares muertos, pero no es así.

El caparazón del cangrejo hace las veces de esqueleto externo. Es inflexible y no crece. A medida que el cangrejo va creciendo, el caparazón se le va quedando pequeño, en cuyo caso, tiene que abandonar su escondrijo, al igual que las serpientes se desprenden de la piel.

Así pues, los caparazones de cangrejo que se pueden ver en la playa no son restos de individuos muertos, sino estructuras desechadas por sus anteriores inquilinos. Lo mismo se aplica a los cangrejos de herradura, que también suelen ser comunes en las playas.

LOS PERCEBES SON MOLUSCOS

Los percebes se adhieren a las rocas, a los embarcaderos y al fondo de los barcos. Por su aspecto se diría que son almejas, pero a pesar de ello, los percebes no son moluscos, sino verdaderos crustáceos, y no están relacionados con las almejas o las ostras, sino con la langosta, el cangrejo y el camarón.

Los ejemplares jóvenes se parecen a otros crustáceos jóvenes y nadan libremente en el agua. No obstante, transcurrido un corto período de tiempo, seleccionan un emplazamiento y se aposentan en él. El lugar seleccionado es muy importante, ya que, una vez adherido a una superficie, el percebe no se moverá nunca más.

El percebe segrega una especie de cemento que lo ancla permanentemente al lugar elegido, y produce cal que acaba envolviendo al animal en lo que se asemeja a una concha de almeja. El percebe que habita en su interior, permanece echado de espaldas, con el cuello adherido al punto de anclaje y las patas hacia arriba. Cuando la concha se abre, lo que hace periódicamente para alimentarse, las patas abanican el agua, succionando partículas alimenticias. El percebe, una criatura que se mueve libremente al nacer, adopta una vida de absoluta inmovilidad en la edad adulta.

INSECTOS, ARAÑAS Y OTRAS CRIATURAS AFINES

LOS INSECTOS TIENEN LA SANGRE ROJA

Pues no, la sangre roja que puedes ver en un insecto aplastado, como por ejemplo un mosquito, es en realidad la que ha succionado de un animal de sangre de este color, y la tonalidad verdosa que se aprecia en otros es el resultado de vegetales no digeridos en el tracto digestivo. la sangre de los insectos es incolora o ligeramente amarillenta.

LAS LIBÉLULAS SON PELIGROSAS

Por alguna razón desconocida, se cree que la libélula, con sus enormes alas transparentes, pica, cuando a decir verdad carece de aguijones y es absolutamente inofensiva. Estos interesantes insectos vuelan a gran velocidad y tienen la habilidad inusual de desplazarse adelante y atrás sin girar. Sin ningún género de dudas, son siempre beneficiosas para el hombre, alimentándose de mosquitos, jejenes y otros insectos de pequeño tamaño que capturan y devoran en pleno vuelo.

LOS INSECTOS USAN LAS ANTENAS PARA PERCIBIR SENSACIONES

A menudo, los insectos parecen explorar su entorno cuando mueven las antenas, algo así como si rastrearan el camino. Pero en realidad, las antenas de los insectos son órganos olfativos, no sensoriales.

LA SOLITARIA HACE QUE LA GENTE COMA MUCHO

Se suele creer que la presencia de solitarias en el tracto intestinal desencadena un apetito insaciable. «Debes de tener una solitaria», se dice con frecuencia a una persona que come a todas horas. El realidad, el alimento necesario para mantener una solitaria es mínimo. Las personas que tienen la solitaria no necesitan ni desean ingerir ninguna cantidad inusual de alimentos.

LAS ALAS DE LAS MARIPOSAS SON DE COLORES

No exactamente. Las alas de las mariposas son incoloras. Todos aquellos hermosos diseños y colores que presentan son una consecuencia de unas minúsculas escamas coloreadas que tienen en la superficie de las alas. Si se tocan, las escamas caen con suma facilidad, dejando a la vista un ala transparente.

LA MANTIS RELIGIOSA ESTÁ PROTEGIDA POR LA LEGISLACIÓN DE ESTADOS UNIDOS

Dado que la mantis religiosa es tan beneficiosa para el hombre, se suele creer que este insecto está protegido por ley. No es así. En la actualidad, ninguna especie de insecto está protegida por la legislación de Estados Unidos.

LA ORUGA ES UN TIPO DE INSECTO

La oruga no es un tipo de insecto, sino un estadio en el desarrollo de un insecto. La oruga es la forma larval de la mariposa diurna o nocturna, es decir, la fase que precede a la transformación del insecto en una mariposa. La oruga no se aparea. En realidad no puede, pues no ha alcanzado la edad adulta. Sólo las mariposas son capaces de aparearse.

LA POLILLA DE LA ROPA COME LANA

Los insectos comúnmente conocidos como «polillas de la ropa» no son responsables de los daños ocasionados en las prendas de vestir, pieles e incluso moquetas.

La polilla no come absolutamente nada y su única misión es formar y depositar huevos. Posteriormente, de estos huevos nacerán larvas, una fase en el desarrollo del insecto en el que se parece a una pequeña lombriz u oruga, y son precisamente las larvas las que se comen la ropa. Llegado el momento, las larvas se transforman en polillas y el ciclo vuelve a empezar.

¿Sirven de algo las bolas antipolilla? Sí, disuaden a las polillas adultas, aunque no matan los huevos y las larvas. Guardar las prendas en cajones de cedro también contribuye a protegerlas del daño causado por las larvas de la polilla.

TODOS LOS MOSQUITOS SE ALIMENTAN DE SANGRE

¡Los machos no! Carecen de una boca apropiada para perforar la piel de un animal y succionar la sangre. Sólo la hembra del mosquito se alimenta de sangre, pero cuando no tiene la oportunidad de obtenerla, come néctar y fruta al igual que el macho.

TODOS LOS INSECTOS COMEN Y BEBEN

No. En muchas especies de insectos son las larvas las que comen y beben, pero no los adultos, cuya boca está tan poco desarrollada que resulta inútil para cualquier propósito alimenticio. Los adultos

sobreviven gracias a las sustancias nutritivas acumuladas durante la fase larval.

Entre los insectos adultos que nunca comen ni beben se incluyen las efímeras y las polillas emperador. Ésta última es especialmente asombrosa, pues es una de las especies de polilla de mayor tamaño y su envergadura con las alas abiertas puede alcanzar los 30 cm de longitud.

EL GUSANO DE LA SEDA ES UN GUSANO

El gusano de la seda no es un gusano, sino una larva de la polilla *Bombyx mori*. La seda se elabora a partir del capullo que encierra la larva.

LAS POLILLAS Y LAS MARIPOSAS CRECEN

En absoluto. Cuando vemos mariposas grandes y pequeñas, es natural suponer que representan a individuos adultos y jóvenes respectivamente. Pero éste no es el caso.

Las polillas y mariposas no aparecen en su forma alada hasta haber alcanzado la fase final de su desarrollo. Llegado este momento, y al igual que los humanos adultos, no siguen creciendo.

LA PICADURA DEL MOSQUITO CAUSA HINCHAZÓN Y PICOR

La picadura del mosquito va seguida de hinchazón y picor, pero no es la picadura en sí misma la causante de estas desagradables molestias.

El mosquito se alimenta de sangre. La sangre de los animales es demasiado espesa como para poder succionarla y primero hay que diluirla. Para ello, el mosquito inyecta en la víctima una sustancia parecida a la saliva.

En realidad, la picadura propiamente dicha casi nunca se aprecia. La punción es tan pequeña que apenas se percibe ningún dolor. En lo que concierne a la hinchazón y el picor que se experimentan después de la picadura no se deben a la picadura en sí misma, sino a la presencia de la saliva del mosquito en la corriente sanguínea de la víctima. La hinchazón y el picor son una reacción alérgica a una sustancia extraña y no el resultado de la perforación de la piel.

LA MOSCA DOMÉSTICA PICA

La mosca doméstica no puede picar nada en absoluto. Su boca es blanda y carnosa, y está diseñada única y exclusivamente para succionar líquidos. Sin embargo, la «stable fly», similar en apariencia y que también suele visitar el hogar, tiene la boca especialmente diseñada para perforar la carne. Entre otras especies de mosca picadora figuran los tábanos, las *Scaptia muscula* y las moscas negras.

Para comer, el tábano común deposita primero una determinada cantidad de líquido procedente de un ágape anterior para disolver el alimento que va a ingerir, como si se tratara de un terroncito de azúcar en el café para dar sabor, y luego succiona el líquido dulzón resultante.

LOS MOSQUITOS PREFIEREN PICAR AL HOMBRE

Parecería evidente que los mosquitos nos prefieren por encima de todo. Si no, ¿por qué nos pican tan a menudo? Sin embargo, lo cierto es que las investigaciones han demostrado que estos insectos, si pueden elegir, prefieren los caballos, el ganado vacuno, los cerdos y los perros.

Algunos humanos parecen atraer los mosquitos más que otros. En realidad, prefieren los niños a los adultos, y las personas de piel pálida a las de piel morena. Aunque los mosquitos casi nunca se desplazan demasiado de su emplazamiento de cría, se conocen casos de insectos que han recorrido hasta 43 km en busca de una fuente estable de víctimas, a ser posible no humanas.

LA TARÁNTULA ES PELIGROSA PARA EL HOMBRE

La muerte por la mordedura de una tarántula gigante es extremadamente inusual.

Las tarántulas pueden parecer peligrosas, pero en realidad son inofensivas, fáciles de adiestrar y casi nunca muerden a los humanos. Hay muchas especies de tarántula, algunas de ellas con un cuerpo de 8 cm de longitud y 25 cm de diámetro con las patas estiradas. Su mordedura es dolorosa, pero apenas causa el menor efecto en el hombre. A decir verdad, la picadura de una abeja puede doler más que la de una tarántula y a menudo es más peligrosa.

LA ARAÑA ES UN INSECTO

Aunque la araña parezca un insecto, lo cierto es que no lo es. La araña pertenece a un grupo de criaturas llamado arácnidos.

¿En qué se diferencian de los insectos? Un insecto tiene tres pares de patas, mientras que la araña tiene cuatro. El cuerpo de los insectos está dividido en tres partes (cabeza, tórax y abdomen), mientras que el de la araña se divide en dos (cabeza y tórax, que forman una sola unidad). En la cabeza de los insectos se hallan dos órganos sensoriales llamados antenas; por su parte, las arañas no tienen antenas. Las arañas tienen ojos simples, con frecuencia ocho, mientras que los insectos tienen varios ojos simples y dos compuestos, formados por múltiples y minúsculas facetas para ver mejor. Los insectos respiran a través de unos pequeños orificios situados a lo largo del cuerpo, llamados espiráculos y unos tubos de aire: la tráquea; por el contrario, el aparato respiratorio de la araña consta de múltiples platos en forma de hoja. Por último, las arañas carecen de alas, mientras que los insectos suelen tener dos pares.

Los parientes más próximos de las arañas son los escorpiones, las garrapatas y los ácaros, pero no los insectos.

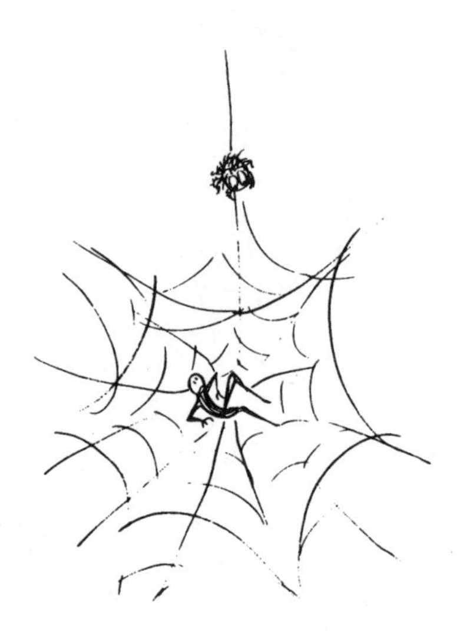

LAS TELARAÑAS SON DELICADAS

La tela que tejen las arañas puede dar la impresión de ser débil, pero a decir verdad, la seda con la que la confeccionan es más fuerte, proporcionalmente a su tamaño, que cualquier otra fibra existente en la naturaleza. Es muy elástica y se puede estirar hasta un quinto de su longitud sin romperse. La fuerza extensible de la seda de la araña es mayor que la del acero.

LOS CIEMPIÉS TIENEN CIEN PATAS

Perdón, pero el ciempiés doméstico común (*centi* significa «cien») tiene treinta patas; los de jardín tienen 21 pares de patas; y otras muchas especies tienen muchas más de cien.

¿Acaso tiene mil patas el milpiés (*mili* significa «mil»)? Tampoco. El número máximo de patas es ligeramente superior a doscientos, y la mayoría de los milpiés comunes tienen entre treinta y sesenta pares.

OTROS LIBROS DE CIENCIA PARA NIÑOS EN EDICIONES ONIRO

Para más información, visite nuestra web:
www.edicionesoniro.com

LOS ENIGMAS DE LA NATURALEZA
Todo lo que querías saber sobre la naturaleza y nunca te atreviste a preguntar
HAMPTON SIDES

208 páginas
Formato: 19,5 x 24,5 cm
Libros singulares

¿QUÉ PASARÍA SI...?
Respuestas sorprendentes para curiosos insaciables
MARSHALL BRAIN
Y EL EQUIPO HOWSTUFFWORKS

192 páginas
Formato: 19,5 x 24,5 cm
Libros singulares

ECOLOGÍA DIVERTIDA
Juegos y experimentos por un planeta más verde
DAVID SUZUKI Y KATHY VANDERLINDEN

120 páginas
Formato: 19,5 x 24,5 cm
El juego de la ciencia 23

Otros libros de ciencia para niños en Ediciones Oniro

Para más información, visite nuestra web:
www.edicionesoniro.com

EL LIBRO DE LOS PORQUÉS
Lo que siempre quisiste saber sobre el planeta Tierra
Kathy Wollard y Debra Solomon

252 páginas
Formato: 19,5 x 24,5 cm
Libros singulares

EL PORQUÉ DE LAS COSAS
Kathy Wollard y Debra Solomon

240 páginas
Formato: 19,5 x 24,5 cm
Libros singulares

EL LIBRO DE LOS PORQUÉS 2
Kathy Wollard y Debra Solomon

208 páginas
Formato: 19,5 x 24,5 cm
Libros singulares

METEOROLOGÍA DIVERTIDA
Valerie Wyatt

96 páginas
Formato: 21,5 x 24 cm
El juego de la ciencia 24

Otros libros de ciencia para niños en Ediciones Oniro

Para más información, visite nuestra web:
www.edicionesoniro.com

COLECCIÓN EL JUEGO DE LA CIENCIA

Últimos títulos publicados:

10. **Experimentos sencillos con la electricidad,** *Glen Vecchione*
11. **Experimentos sencillos sobre las leyes de la naturaleza,** *Glen Vecchione*
12. **Descubre los sentidos,** *David Suzuki*
13. **Descubre el cuerpo humano,** *David Suzuki*
14. **Experimentos sencillos con la luz y el sonido,** *Glen Vecchione*
15. **Descubre el medio ambiente,** *David Suzuki*
16. **Descubre los insectos,** *David Suzuki*
17. **Descubre las plantas,** *David Suzuki*
18. **La ciencia y tú,** *Ontario Science Centre*
19. **Trucos, juegos y experimentos,** *Ontario Science Centre*
20. **Ciencia divertida,** *Ontario Science Centre*
21. **Naturaleza divertida,** *Pamela Hickman y la Federation of Ontario Naturalists*
22. **La naturaleza y tú,** *Pamela Hickman y la Federation of Ontario Naturalists*
23. **Ecología divertida,** *David Suzuki y Kathy Vanderlinden*
24. **Meteorología divertida,** *Valerie Wyatt*
25. **Experimentos sorprendentes con la luz,** *Michael DiSpezio*
26. **Experimentos sorprendentes con el sonido,** *Michael DiSpezio*